フィンランドの覚悟

村上政俊
Masatoshi Murakami

はじめに

教育・福祉先進国のもう一つの顔

成田発ヘルシンキ・ヴァンター空港行きのフィンエアー（フィンランド航空）の機中から、フィンランドの大地を初めて見た。まさにそれは、「森と湖の国」だった。どこまでも広がる森の中に、無数の湖が散りばめられている。

緯度の高い北欧では、朝が早い。水面はわずかだが輝き出し、夏の1日の始まりに、光を添えている。新たな国との出逢いに胸は踊る。これからの日々への期待は、自ずと高まっていった。

2022年夏に筆者は、フィンランド国立タンペレ大学から招聘されて、在外研究を実施した。その直前にフィンランドは、ロシアによるウクライナ侵略を契機に、北大西洋条約機構（NATO）に加盟申請し、日本でも同国への注目が高まっていた。そうした中で、筆者の専門である安全保障という文脈で、渡欧する運びとなった。

北欧の東端に位置するフィンランドは、日本でも高い知名度、そして人気を誇っている。日本でフィンランドと言えば、真っ先に出てくる言葉は、ムーミンあるいはサンタクロースだろう。筆者も研究生活の合間を縫って、彼らに会いに出掛けることができた。

マリメッコのテキスタイル、イッタラやアラビアの食器なども、読者の頭の中に浮かんでくるかもしれない。食については、何と言ってもサーモンだろう。フィンランド人とともに食したサーモンスープは、とてもクリーミーであり、格別な味だった。ラップランドでは、初めてトナカイを口にした。日本ではあまり馴染みのないザリガニが、フィンランドの御馳走だ。

いずれにしてもフィンランドは、日本ではソフトなイメージをもって語られることがほとんどだ。社会的な課題という文脈でフィンランドを考えるならば、福祉、そして教育というキーワードが浮上してくる。日本におけるフィンランド理解は、依然として、文化、教育、福祉分野が中心といえよう。

だが、筆者が在外研究を機に注目しはじめたフィンランドの顔は、これらのいずれでもなかった。

そもそも筆者がフィンランドに赴いた大きなきっかけは、2022年2月に始まったロシアによるウクライナへの全面侵攻だった。世界の安全保障のあり方を大きく変えたこのウクライナ侵略に対して、真っ先に動きを見せた国の一つが、フィンランドだった。本書でも大きく取り上げる、フィンランドによるＮＡＴＯへの加盟である。

フィンランドでの在外研究の間には、専門家に加えて、多くのフィンランド政府高官と知り合い、親交を深めることができた。大統領府、外務省、国防省において、ＮＡＴＯへの加盟申請をはじめとする重要政策に携わる人々との間で、外交・安全保障について、極めて濃密な意見交換を実施することができた。

日本通のあるフィンランド政府高官は、筆者に対して次のように述べた。

「中立国であるフィンランドが、驚くべきことに、ＮＡＴＯに加盟を申請した。こうした報道が、日本では目立ちます。しかし、むしろこれは、私たちにとって大きな驚きでした」

この発言によって浮き彫りになったのが、日本とフィンランドとの間で、大きな認識のギャップがあるということだ。

日本においては、フィンランドを中立国とみなす向きが多かったといえよう。加えてソフトパワーとしてのイメージが強かったこともあり、ＮＡＴＯへの加盟申請というニュースは、大きな驚きをもって報じられた。

だが、本書で説き明かすように、フィンランドはすでに中立国ではなかった。それどころか、NATO加盟の一歩手前というところまで、NATOとの協力を深化させていた。フィンランドが中立国だという日本での見方は、ウクライナ侵略が始まる前から、すでに幻となっていたのだ。

NATOへの加盟申請に加えて、2022年5月には、当時のサンナ・マリン首相による日本訪問が大々的に報道されたことで、フィンランドに対する注目が、一気に増した。しかし、重要性が高まっているにもかかわらず、フィンランドの外交・安全保障に対する日本側の理解は、急激な情勢変化にまったく追い付いていない。

日本ではほとんど知られていないが、NATO加盟において重要な役割を果たしたのが、サウリ・ニーニスト大統領だった。2012年に大統領に就任し、2018年1月には、62・7%という圧倒的な得票率をたたき出し、決選投票を経ることなく、再選された。その直後の2月に、フィンランド議会でニーニスト大統領は、圧倒的な国民の支持を背景にしつつ、演説の中で次のように述べている。

「私たちは小さく、よくまとまり、安全な国である。私たちには、平等で、教育の行き届いた、たくましい国民がいる。だからこそ私たちは、変化に対して、粘り強く、迅速に、そして力強く立ち向かうことができるのだ」

この言葉は、フィンランドがいったいどういう国家なのか、すなわちその国柄について、端的に言い表しているといえよう。

これまで日本では、フィンランドという国について、ニーニスト大統領の言葉を借りるならば、「平等」「行き届いた教育」という面ばかりが強調されてきた。平等あるいは教育という点も、フィンランドを語る上では、見逃すことができない重要な要素だろう。

だが、本書で焦点を当てるのは、ニーニスト大統領が触れたフィンランドの「たくましさ」「粘り強さ」「迅速さ」、そして「力強さ」である。これらのフィンランドの特徴は、歴史に根差しており、軍事、安全保障の分野でよく表れている。

ロシアのウクライナ侵略に対する危機感

フィンランドの安全保障に対して、決定的な影響を及ぼしているのが、隣国のロシアである。ロシアと陸上で国境を接するフィンランドでは、ロシアによるウクライナ侵略について、極めて深刻に捉えられている。

フィンランドを取り巻く安全保障環境の劇的な悪化が、NATOへの加盟申請へとつながった。NATOに加盟することによって、自国が侵略された場合には、北大西洋条約第5条（集団防衛）が適用されることとなる。NATOによる集団防衛を明確に担保することによって、ロシアに対する抑止力を強化しようというのが、フィンランドの考えである。

本書で詳述するが、フィンランド史とは、隣接する大国に翻弄され続けてきた歴史であった。フィンランドは、1917年の独立から数えて、まだ100年あまりの比較的若い国家である。

だが、国家の未来に対する危機意識が、国民各層にしっかりと共有されており、ロシアによるウクライナ侵略後は、NATO加盟申請の即断につながった。

日本では、フィンランドは福祉や教育といった分野のモデルとして喧伝されることが多い。だが、我々がフィンランドから本当に学ぶべきなのは、歴史に根差した未来への危機意識ではなかろうか。

フィンランドは、第二次世界大戦期に、二度にわたりソ連と戦った。そこには、ソ連の脅威に敢然と立ち向かおうとしたフィンランドの人々の姿があった。

スターリン率いるソ連の侵略で始まった冬戦争と、ロシアによるウクライナ侵略。両者には、短期間で隣国を占領できると考えた甘い見通し、相手国の抵抗への過小評価といった驚くべき共通点がある。フィンランドの戦いの歴史にも、多くのヒントを見つけ出すことができる。

日本とフィンランドは、互いにロシアを挟んで隣国の隣国という関係になる（**図1**）。そしてこれこそが、フィンランドで外交・安全保障に携わる人々が、日本について考える上で、最もベースとなる部分である。日本とフィンランドは、ロシア帝国あるいは旧ソ連という隣人と、いかに向き合ってきたのか。知られざる両国の関わりについても、焦点を当てていく。

ウクライナ侵略によってロシアの脅威が高まる中で、フィンランド側では、特に外交・安全保障関係者の間で、日本への関心が急速に高まりつつある。日本とフィンランドの間で、安全保障の文脈で連携を深める絶好の機会が訪れているといえよう。

本書では、日本ではこれまでほとんど知られることがなかった、あるいは見逃されてきたフィンランドのもう一つの姿を伝えていく。それによって、読者の皆様のフィンランドに対する理解が深まれば、これに勝る喜びはない。

目次

ンドとスウェーデン加盟の意味／NATO加盟までの期間の安全保障上の空隙／イギリスによる安全保障への関与／政策的な選択としての「中立」

第2章　日本人が知らないフィンランドの歴史

1:34,000,000
Lambert正積方位図法
0
340
680
1020
1360km
ROOTS / Copyright©Heibonsha.C.P.C
北極圏
ロシア連邦
モンゴル
朝鮮民主主義人民共和国
東京
日本
大韓民国
中華人民共和国
45° N
30° N
105° E
120° E
135° E

図1　フィンランドと日本の位置関係

図2　フィンランド周辺地図

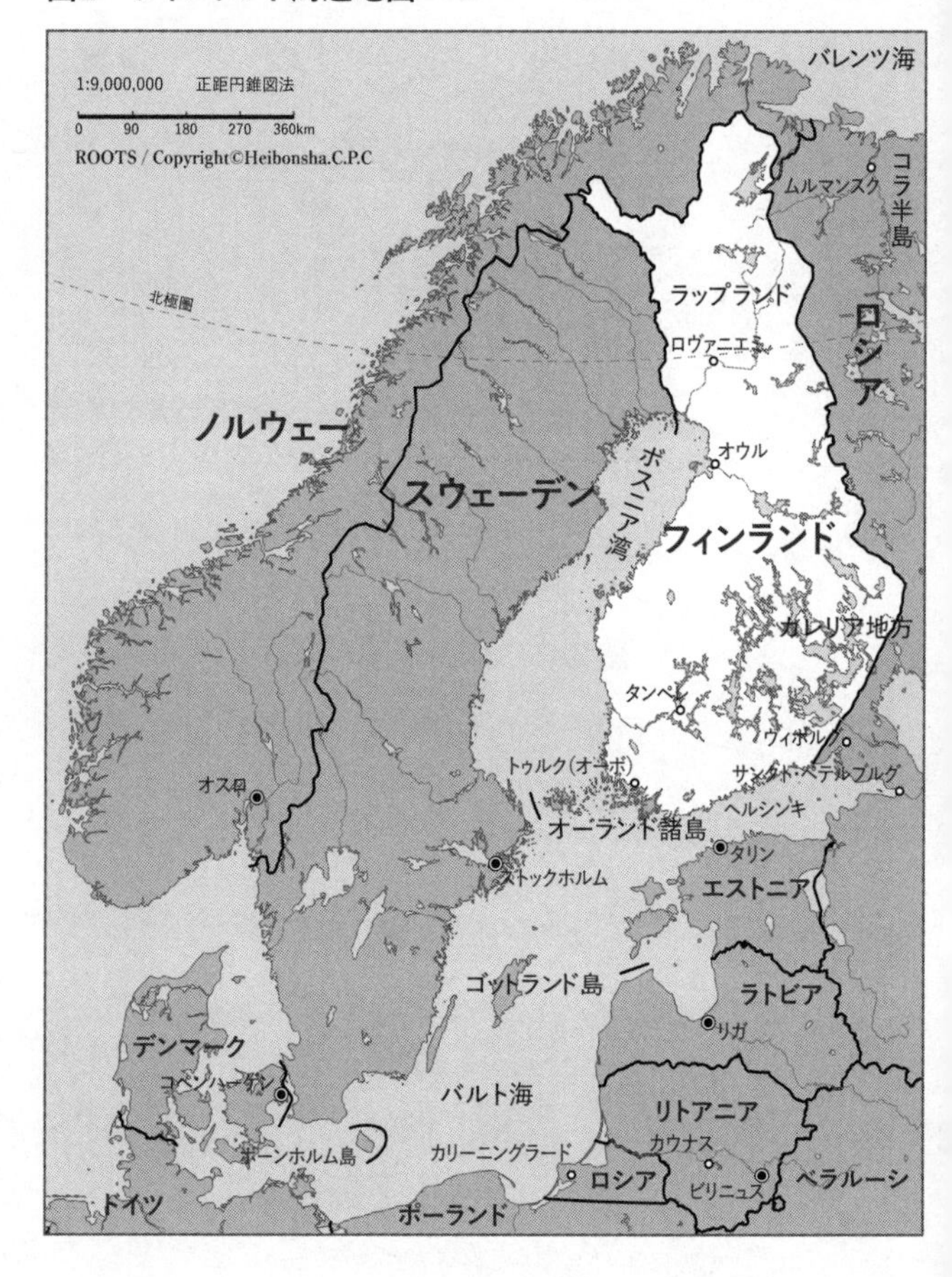

第1章　世界に衝撃を与えた中立国フィンランドのNATO加盟

ウクライナへの積極的な武器供与

フィンランドは、２０１４年のロシアによる一方的なクリミア併合に対して、強く非難し、これを認めなかった。ＥＵによる対ロシア制裁措置にも、全面的に加わっていた。

２０２２年2月末のロシアによるウクライナへの全面侵攻に対しても、フィンランド政府の動きは早かった。侵攻開始4日後には早くも、自動小銃２５００丁、ライフル用弾薬15万発、単発式対戦車兵器１５００発、戦闘糧食7万食のウクライナへの提供を決定した。3月にも、内容の詳細は公表しなかったものの、追加支援を決定した。２０２２年にフィンランドは、ウクライナ支援に約3億ユーロを拠出したが、そのうち約1億９０００万ユーロが防衛機器購入にあてられた。

２０２３年２月には、ドイツ製戦車レオパルト２を３両、ウクライナに供与することが発表された。レオパルト２は、世界最高クラスの能力を持つ戦車とみなされており、ヨーロッパには２０００両以上が存在している。レオパルト２のウクライナへの供与が争点となる中で、１月にドイツが供与を決定し、フィンランドはスウェーデン、デンマーク、ノルウェー、ポーランド、オランダなどとともに、戦車同盟に加わった。

フィンランドは他にも、１月には大口径砲や弾薬など４億ユーロの軍事支援を公表し、５月には防空兵器、弾薬を含む１億９００万ドル規模の追加軍事支援を公表した。

ウクライナ支援は、軍事面だけでなく、外交面でも顕著である。２０２３年５月には、ウクライナのゼレンスキー大統領を首都ヘルシンキに電撃的に迎えた。ニーニスト大統領が会談しただけでなく、フィンランドは北欧ウクライナ首脳会合を主催し、スウェーデン、ノルウェー、デンマーク、アイスランドの首脳が出席した。ウクライナのＮＡＴＯ及びＥＵへの将来的な加盟に対して、支持が表明された。

こうしたフィンランドの対応は、過去との比較においても極めて積極的といえる。冷戦期のフィンランドは、ソ連を過度に刺激しかねない言動を慎重に避けようとした。ソ連末期にバルト三国では、「バルトの道」と呼ばれる６００キロもの人間の鎖ができるなど、ソ連支配に対する抗議が広がった。だが、フィンランドのコイヴィスト大統領は当初、スウェーデンなどとは異なり消極姿勢を崩さず、バルト三国や北欧諸国で非難された。

なお、今回のロシアのウクライナ侵略に対しては、スウェーデンも紛争当事国に対して兵器を供与しないという原則を覆し、ウクライナへの装備供与に踏み切った。戦車レオパルト2を最大で10両、供与すると表明している。

1340キロの陸上国境で接するロシアへの危機感

ウクライナに対する連帯表明の背景には、フィンランドに広がる強い危機感がある。フィンランドは、ロシアとの間で1340キロの陸上国境を有している。

実際に過去に、ソ連による侵略という辛酸を嘗めたフィンランドにとって、ウクライナへの侵略は決して対岸の火事ではない。ウクライナへの連帯表明には、歴史に根差した側面も見逃すことはできない。

フィンランドは、NATOへの加盟申請以外にも、さまざまな分野でロシアへの対抗措置を講じ、ロシアに対して断固たる姿勢を示している。

エネルギーについて、フィンランド政府は2022年5月に、ロシアからの電力供給と天然ガス供給の輸入を停止した。マリン首相は、オーストラリア訪問中の2022年12月に、ヨーロッパはロシアからエネルギーを購入し、経済関係を緊密にすることが戦争を防ぐだろうと考えていたが、完全に間違っていたことが証明されたと述べた。なお、フィンランドは、第4章で述べるように、原子力を柱としつつ、自立的なエネルギー供給を推進している。

また、高速鉄道アレグロ号の運行も停止された。同号は、ヘルシンキとロシアのサンクトペテルブルグを3時間半で結び、フィンランドとロシア両国間の人的往来に、大きな役割を果たしていた。

フィンランドを代表する企業であるノキアも、ロシア市場からの撤退を2022年4月に発表した。

一方で、ロシアからフィンランドへの移住も増加している。2022年は6003人に上り、過去30年で最多となった。

NATO加盟に踏み切らせた四つの要因

フィンランドは、なぜ、今回、NATOへの加盟に踏み切ったのか。この項では、国家主権、集団防衛、アメリカ、核抑止という観点から考えてみたい。

ニーニスト大統領は、ロシアのウクライナ全面侵攻直前の２０２２年の年頭演説において、「国家安全保障、自己決定、行動の余地は、大国だけでなく小国にとっても同様に重要だ」と述べた。ニーニスト大統領が指摘したように、これらの点は、国力の大小にかかわらず、フィンランドを含むすべての主権国家に対して、担保されなければならない。

だが、ウクライナ侵略によって鮮明となったのは、周辺の中小国の国家主権について、ロシアがまったくと言っていいほど尊重しない姿勢だった。

ソ連時代には、ブレジネフ書記長が「制限主権論（ブレジネフ・ドクトリン）」を展開した。１９６８年、チェコスロバキアで民主化を求める「プラハの春」に対して、ソ連はワルシャワ条約機構を率いて、軍事介入した。社会主義圏全体の利益のためには、個別国家の主権は制限されてもやむをえないとの主張の下に、東側国家の主権が蹂躙されたのだった。プーチン大統領の周辺国の国家主権を否定するような態度は、ブレジネフの制限主権論がよみがえったかのように思える。

ジョージタウン大学名誉教授のアンジェラ・ステント氏は、『フォーリン・アフェアーズ』誌に２０２２年１月に掲載の論稿「プーチン・ドクトリン」の中で、「国家主権について、現代のクレムリンの解釈には、ソ連の解釈と顕著な類似点がある。プーチン大統領によれば、ウクライナやジョージアなどの小国は不完全な国家主権しか有しておらず、ロシアの拘束を尊重しなければならない」と指摘している。

あるフィンランド政府高官は、筆者に対して、手をこまねいていると自分たちの国家主権が縮小してしまうという危機感を表明した。フィンランドの懸念は、まさにこの点にあったといえよう。ロシアによる国家主権の制約は、到底受け入れることはできず、国家主権を十全に行使できることが重要だということだ。独立した主権国家としては、ごく当たり前の考えである。

そもそも2022年の年頭演説において、ニーニスト大統領は、フィンランドの行動の余地と選択の自由には、NATO加盟申請も含まれると述べていた。ロシアによるウクライナ侵略によって国家主権が脅かされたことで、フィンランドは元々有していたNATO加盟申請という選択肢を行使したのだった。

こうして考えると、フィンランドをNATOの側へと走らせたのはロシアであり、フィンランドのNATO加盟は、ロシアが自ら招いた結果、すなわち自業自得だったといえよう。

加えて、ウクライナ侵略後にフィンランドが必要としたのが、NATOという集団防衛だったのである。フィンランド政府もウェブサイト上で、集団防衛がNATOの最も重要な任務であるとの認識を示している。

後で詳しく述べるが、フィンランドは、国民の非常に高い国防意識に支えられつつ、自前の国防力について怠りなく整備を進めてきた。また、日本ではほとんど知られていなかったが、NATOとの協力関係についても、加盟前の段階から拡大深化させてきており、NATO加盟一歩手前というところまで至っていた。国防について、多くの効果的な手がすでに打たれており、憂いのない状態だったようにも思えるが、フィンランドはNATOへの正式加盟を選択した。世界最大の軍事同盟の一員となることで初めて、ウクライナ侵略によって高まったロシアの脅威を十分に抑止できると考えたからだった。

繰り返しになるが、フィンランドのNATOへの加盟申請は、何者かによって強制されたものではない。ニーニスト大統領が言及していた「選択の自由」によって、フィンランドが自ら選んだ道だったのである。

ここで、同盟という観点から、日本との比較を試みたい。アメリカとの日米同盟は、日本にとって、アメリカに押し付けられたものでもなければ、どこからともなく降って湧いたものでもない。日本自らの国家意思によって、選択の結果として、日米同盟が存在していることを忘れてはならない。

このことは、日米同盟の基盤である日米安保条約にも明記されている。同条約第10条には、「いずれの締約国も、他方の締約国に対しこの条約を終了させる意思を通告することができると規定されている。したがって、同条約の締約国である日本は、自らの意思によって、同条約を終了させることが可能だ。裏を返せば、日本は現在に至るまで、自らの意思によって、日米安保条約の継続、そして日米同盟の当事者であることを選択し続けているといえよう。

だが、日本では、自由な選択の結果として同盟に加わるという点がほとんど意識されていない。フィンランドによるNATOへの加盟から、同盟の当事者であることの意義について、日本は学び直す必要があるだろう。

さて、フィンランドがNATOに加盟申請した理由としては、他に、NATOの盟主であるアメリカとの関係もある。NATOへの正式加盟とはすなわち、名実ともに、アメリカを安全保障上の後ろ盾とするということである。

2022年3月4日に、ニーニスト大統領の姿は、ホワイトハウスにあった。ロシアによるウクライナ侵略の翌週には早くも、大統領がワシントンに飛んだことが、フィンランドの考えを端的に表している。

この訪米では、バイデン大統領の他に、バーンズCIA長官との会談もセットされた。ロシア通の元外交官として知られる同長官との間で、ロシアについての詳細かつ突っ込んだ分析が繰り広げられたものと思われる。フィンランドがアメリカを必要としていると同時に、アメリカもロシアについての知見を有するフィンランドを必要としていた。

マリン首相も、オーストラリア訪問中の2022年12月に、今のヨーロッパは力が足りず、アメリカなしでは大変なことになっていたとして、ヨーロッパにとってのアメリカの重要性について、極めて率直な形で述べた。

日本ではほとんど指摘されていないが、核抑止力を獲得することも、NATO加盟の大きな動機だったといえよう。フィンランド国際問題研究所（FIIA）は、研究プロジェクトの概要の中で、「フィンランドはこれまで、軍縮・軍備管理の問題として核兵器に取り組んできた。しかし、NATO加盟により、核抑止はフィンランドの外交・安全保障政策の一部となるだろう」と解説している。同研究所は、フィンランドにおいて国際関係、安全保障分野でトップのシンクタンクであり、筆者も意見交換のために訪問したが、フィンランド政府の分析評価研究活動の一環として、この研究プロジェクトを実施している。2022年版のNATO戦略概念では、核抑止が同盟の安全保障の根幹に位置付けられているが、フィンランドはこの点を極めて正確に理解している。

NATO加盟に対する世論の動向の激変

フィンランド憲法第2条第2項は、「民主主義には、社会及び個人の生活環境の発展に参加し、及び影響を及ぼす個人の権利が含まれる」と規定し、フィンランドが民主主義国家であることを宣明している。

先進民主主義国においては、政策プロセス及びその決定に際して、世論が重要な鍵を握っている。これはもちろん、フィンランドにおいても当てはまることだ。フィンランド政府がNATOへの加盟申請へと動く際に、世論の動向が肝となっていた。

フィンランド世論の変化は劇的だった。フィンランドのNATO加盟に対する支持は、長年にわたって、おおよそ20%前後で推移していた。

ところが、ロシアによるウクライナ侵略を受けて、状況は一変した。フィンランド公共放送ユレ（YLE）が実施した世論調査によれば、NATO加盟支持が、ウクライナ侵略直後の2022年2月末には53％に跳ね上がり、3月には62％に、5月には76％に急上昇した。急速な支持上昇は、フィンランド人の強い危機感の表れだったといえよう。

フィンランドでは、ロシアによるウクライナ侵略と、第二次世界大戦開始直後の1939年にソ連がフィンランドに侵攻した「冬戦争」を重ね合わせる向きが強く、こうした見方が世論の動向に影響を与えたかもしれない。筆者に対して複数のフィンランド政府高官が述べたように、世論のドラマチックな変化がフィンランド政府を大きく後押しした。

こうした世論の激変を受けて、NATO加盟という選択肢についての検討が急ピッチで進められた。ウクライナ侵略開始の翌週に早くも訪米したニーニスト大統領からは、NATOの門戸開放政策は重要であるとの認識が示された。この門戸開放政策は、北大西洋条約第10条に基づいている。

ちなみにスウェーデンでも、2022年5月の世論調査では、53％がNATO加盟を支持し、フィンランドと同様の変化が見られた。

異例の速さだったNATO加盟のプロセス

フィンランド及びスウェーデンは、2022年5月18日に、NATO本部のあるベルギー

共同記者会見でNATO加盟申請を表明したフィンランドのニーニスト大統領とマリン首相（ヘルシンキ、2022年5月15日）［Lehtikuva/時事通信フォト］

のブリュッセルにおいて、NATOへの加盟申請書を提出した。この正式な加盟申請の前後に、フィンランドは、内政及び外交上の動きを矢継ぎ早に示した。ウクライナ侵略開始から極めて短い期間だったが、フィンランドが内外政にわたって周到に準備を重ねていたことがわかる。2022年の年頭演説で、ニーニスト大統領が触れた迅速さが、遺憾なく発揮されたといえよう。

フィンランド国内では、5月15日にはフィンランド政府がNATO加盟についての報告書を採択した。報告書の中で政府は、フィンランド議会と協議の上で、大統領がNATO加盟申請を決定することを提案した。同日に、ニーニスト大統領とマリン首相が共同で記者会見し、NATOに加盟申請する方針を表明した。大統領、首相率いる政府、そして議会が、NATO加盟申請に向けて、一体となって動いた。

外交面では、ニーニスト大統領が役割を果たした。スウェーデンを国賓訪問して、17日にはスウェーデンのアンデション首相と共同で記者会見した。さらに両国首脳はワシントンDCに飛び、19日にはホワイトハウスにおいて、バイデン大統領と三者で会談している。

加盟申請前後の外交上の動きからは、NATOへの加盟についてフィンランドの基本戦略が見て取れる。すなわち、加盟プロセスの基盤にスウェーデンとの共同歩調を据えた上で、NATOの盟主であるアメリカから加盟へのサポートを確保するという筋道だ。

こうした方針は、加盟が正式に実現するまでぶれることがなかった。外交の軸にアメリカとの協調を据える姿勢は、日本を含め一般的な西側の国と変わるところがない。対米協調重視というフィンランドの方向性は、ロシアの現在の姿が続く限りは、今後も継続していくものと考えられる。

なお、フィンランドとスウェーデンを比較すると、少なくとも初動段階においては、フィンランドの方がNATO加盟に対して積極的な姿勢を示していた。ロシアと陸上国境で隣接しているフィンランドの方が、ロシアの脅威により敏感だったという点もあるだろう。

6月29日にスペインの首都マドリードで開催されたNATO首脳会合には、フィンランドのニーニスト大統領とスウェーデンのアンデション首相も出席した。後で述べるが、この時、両首脳とトルコのエルドアン大統領との協議も実施された。

NATO加盟国は、7月4日には加盟交渉を完了し、翌5日には両国の加盟議定書に署名した。加盟議定書の署名後には、フィンランドとスウェーデンの両国に「招待国(Invitee)」というステータスが付与され、オブザーバーとしてNATOの会合に参加できるようになった。

フィンランドの加盟プロセスの焦点は、加盟各国による批准手続きへと移行した。NATOの盟主であるアメリカでは、連邦議会上院において、圧倒的な賛成多数で可決された。アメリカ以外の国々での批准プロセスも順調に進行し、2022年9月には、NATO加盟国30か国のうち、実に28か国が批准した。

ちなみに、筆者がフィンランドで在外研究にあたっていた2022年夏の時点では、スペインやポルトガルといった南ヨーロッパの国々が、いまだ批准を終えておらず、危機意識に開きがあるのではといった若干の不満も耳にした。

とは言え、批准プロセスが始まってからわずか3か月足らずで、申請のタイミングからでもわずか4か月足らずで、ほぼすべての加盟国が批准を終えることとなった。

このように異例の速さでプロセスが進展し、「ファストトラック」とも称された背景には、いくつかの要因があった。最大の要因は、もちろん2月末のロシアによるウクライナ侵略に対する危機感である。加えて、後で述べるように、フィンランド及びスウェーデンが、これまでにNATOやアメリカとの協力を着実に深化させていなければ、ここまで速くは進まなかったであろう。NATOにとって両国は、すでに中立国ではなく、ほぼ身内と言っていい存在だった。

残るはトルコ、そしてハンガリーによる批准を待つばかりとなったが、一筋縄ではいかなかった。全会一致の合意が必要だったことから、両国による批准が大きなハードルとなった。詳しくは後で述べるが、結果的に両国の議会はそれぞれ2023年3月に、フィンランドのNATO加盟を承認した。

フィンランド外相は4月4日、NATO本部において、寄託者であるアメリカ政府を代表するブリンケン国務長官に対して、加入書を寄託した。トルコによる加入書寄託とあわせて、フィンランドは正式に、NATOの31番目の加盟国となった（**図3**）。奇しくもこの日は、北大西洋条約が署名されてから、74周年という日だった（**図4**）。

図3　NATO加盟国

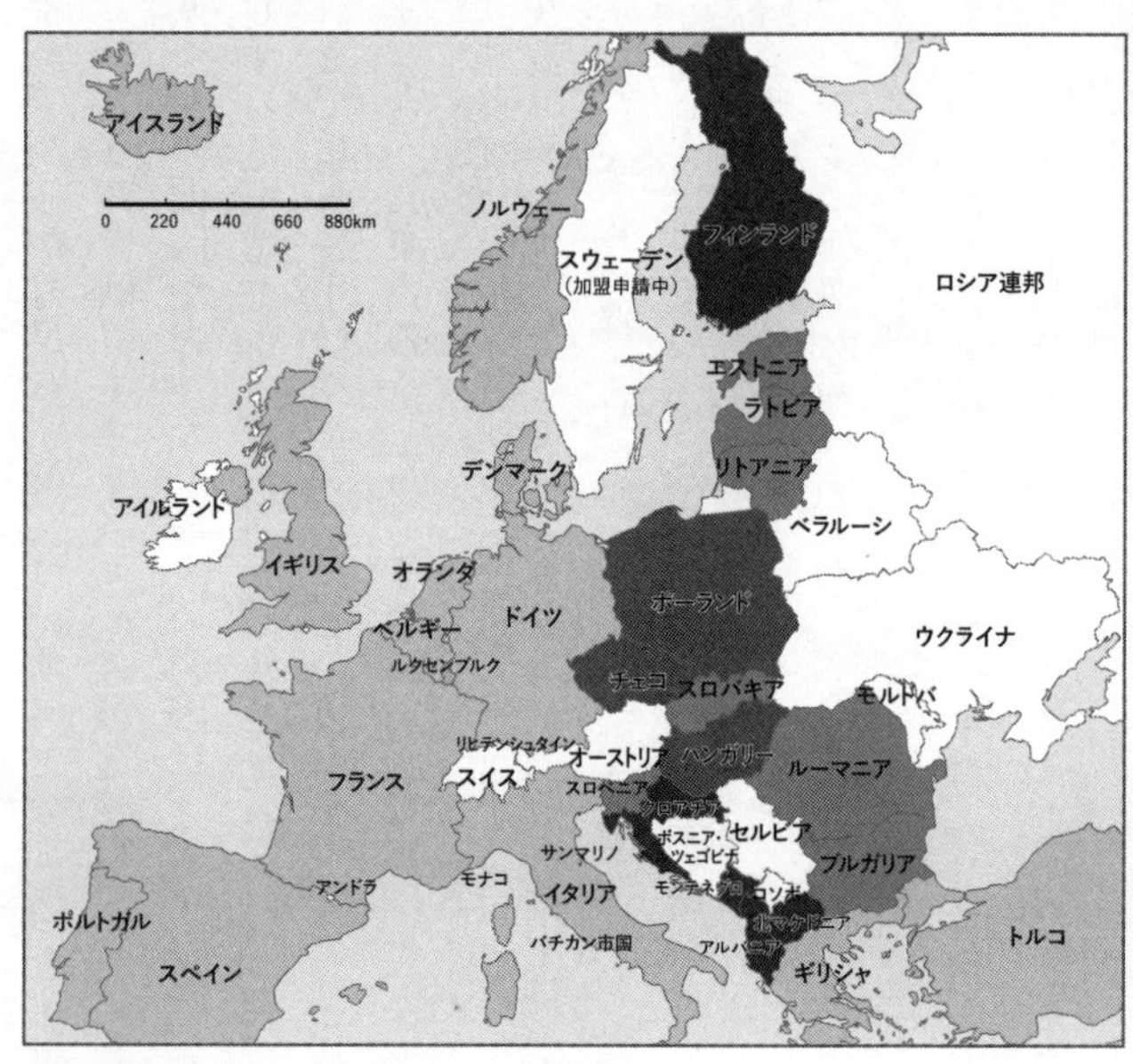

●ソ連崩壊前の加盟国　●1999年に加盟
●2004年に加盟　●2009年以降に加盟

※この他に米国とカナダの2か国を含む

図4　NATOの歴史

1948年	英国、フランス、ベネルクス3国（ベルギー、オランダ、ルクセンブルク）の5か国によるブリュッセル条約機構成立
1949年	4月4日、ブリュッセル条約加盟国を核とし北大西洋条約署名・発効。原加盟12か国：ベルギー、カナダ、デンマーク、フランス、アイスランド、イタリア、ルクセンブルク、オランダ、ノルウェー、ポルトガル、英国、米国
1952年	ギリシャ、トルコ加盟
1955年	ドイツ（当時は西ドイツ）加盟
1982年	スペイン加盟
1999年	チェコ、ハンガリー、ポーランド加盟
2004年	バルト三国（エストニア、ラトビア、リトアニア）、スロバキア、スロベニア、ブルガリア、ルーマニア加盟
2009年	アルバニア、クロアチア加盟
2017年	モンテネグロ加盟
2020年	北マケドニア加盟
2022年	2月24日、ロシアがウクライナ侵略を開始 5月18日、これまで軍事的に中立の立場を取ってきた北欧のフィンランドとスウェーデンが加盟申請
2023年	4月4日、フィンランド加盟。31番目の加盟国に

だが、トルコとハンガリーは、フィンランドの加盟についてのみ先行して批准し、スウェーデンとの同時加盟は実現しなかった。

加盟プロセスを通じて、フィンランドはスウェーデンとの同時加盟を追求していた。ニーニスト大統領は正式加盟に際して、「フィンランドの加盟は、スウェーデンの加盟なしには完結しない」と述べて、スウェーデンの早期加盟に期待を示した。

NATOとの長年の協力関係

フィンランドとNATOとの関係は、2022年5月の加盟申請まで、日本ではほとんど注目されることはなかった。フィンランドによるNATOへの加盟申請について、ロシアによるウクライナ侵略の後に、突然行われたかのような受け止めが、日本では多かった。フィンランドは中立国であるという強い先入観が、日本では広く行き渡っていたからだろう。

しかし、こうした理解には問題がある。フィンランドとNATOとの関係は、ロシアによるウクライナ侵略で、あるいはフィンランドによる加盟申請で、突然に始まったものではないからだ。

フィンランドは冷戦の終結直後から、NATOとの協力関係を着実に深めてきた。NATOのウェブサイトにおいても、約30年にわたるNATOとの緊密なパートナーシップを経てフィンランドは加盟に至ったと記されている。

そうした行動の裏側には、フィンランドの国際政治に対する現実主義的な視線があったといえよう。

1989年の米ソ冷戦の終結を受けて、NATOと旧東側諸国など非加盟国との間での協力関係は、徐々に整備されていった。1991年に発足した北大西洋協力評議会（NACC）は、非加盟国と対話協力を進めるための新しい枠組みだった。

1994年には、「平和のためのパートナーシップ（PfP）」が立ち上げられ、北大西洋協力評議会の枠内で、特定の非加盟国とNATOとの間での二国間協力プログラムが設けられた。「平和のためのパートナーシップ」は、NATOのパートナーシップ政策の中核をなすプログラムとなっている。1997年には、PfPが強化され、北大西洋協力評議会は、欧州大西洋パートナーシップ理事会（EAPC）に、看板が掛け代えられた。

こうしたヨーロッパ全体の流れに呼応したのが、フィンランドだった。北大西洋協力評議会には、1992年にオブザーバーとして参加し、「平和のためのパートナーシップ」

にも立ち上げ直後の1994年に参加した。フィンランドとNATOとの協力関係は、ここにまでさかのぼることができる。

多くの東ヨーロッパ諸国も、「平和のためのパートナーシップ」を経てNATOへの加盟を果たしており、結果的にではあるが、「平和のためのパートナーシップ」への参加は、NATOへの加盟準備を整えることとなった。

NATOのバルカン半島での作戦に協力

NATOの作戦に対するフィンランドの協力は、世界的に展開されてきた。その端緒は1996年、バルカン半島のボスニア・ヘルツェゴビナにおいて、NATOが主導する平和維持軍に参加したことだった。ボスニア紛争はNATOにとって、冷戦後の世界において新たな脅威に対処できることを示す機会となったが、フィンランドの姿はすでにこの時点から、NATOの作戦の中にあった。

同じくバルカン半島で1998~99年に起こったコソボ紛争の後に設置されたコソボ治安維持部隊（KFOR）にも、フィンランドは人員を派遣している。KFORはNATOが主導し、コソボの平和と安全な秩序維持を目的としているが、フィンランドは

1999年からこれまでに約7400人を派遣した。

フィンランドのマルッティ・アハティサーリ元大統領が、国連特使に任命され、コソボ、セルビア間の仲介交渉にあたった。アハティサーリ特使は、国際社会の監督下のコソボ独立案を国連に勧告した。アハティサーリは大統領離任後に、紛争解決と平和構築を担う「危機管理イニシアティブ（CMI）」を創設し、インドネシアのアチェ州での紛争解決などにも尽力した。こうした業績が評価され、2008年にノーベル平和賞を受賞した。

ノーベル賞受賞に際してアハティサーリは、第二次世界大戦でソ連に侵略されたカレリア地方の都市ヴィープリ（現在はロシアのヴィボルグ）から逃れた自らの経験が、紛争解決に関わる契機となったと述べた。この時、ソ連によって奪われた領土から42万の人々が逃れたが、その中にアハティサーリの姿もあったのだ。

なお、筆者は2022年11月に、ヤンネ・ターラスCEOが率いるCMIマルッティ・アハティサーリ平和財団からの日本訪問団との間で、現下の国際情勢について、率直に話し合う機会を得た。昼食をとりながらの意見交換において、話題はヨーロッパにとどまらず、アジアにまで及んだ。

印象的だったのは、フィンランド側の巧みなセルフブランディングである。「危機管理イニシアティブ（CMI）」は、形式的には、非政府組織（NGO）という組織形態をとっている。しかし、そもそもの出自が元大統領によって設立された団体である。加えて、筆者が昼食をともにしたターラスCEOも、フィンランド外務省出身の元外交官であり、元政府関係者である。

NGOというソフトな表看板を掲げながら、その実はしっかりと政府と連携しつつ、世界的なネットワークを構築して、ひいては国際的なプレゼンスを高める。こうしたフィンランドの世界との向き合い方は、日本にとっても大いに参考になるだろう。

アフガニスタン・イラクにも自国軍を派遣

フィンランドによるNATOに対する協力は、ヨーロッパにとどまらず、中東地域にも広がっていった。

アフガニスタンにおいて、NATOの主導するISAF（国際治安支援部隊）への派兵を通じて、国際社会の一員としてアフガニスタンの安定に貢献する姿勢を鮮明にした。フィンランドは、NATOの非加盟国でありながら、スウェーデンや中立国として知られるオーストリアなどとともにISAF兵力貢献国として取り扱われた。なお、G7各国の中で、

ISAFに部隊を派遣していなかったのは、日本だけだった。

フィンランドは、国際治安支援部隊（ISAF）の後継である「確固たる支援任務」（RSM）にも参加した。NATOがアフガニスタンから撤退する2021年まで、RSMによってアフガニスタン治安部隊への訓練、助言、支援が実施された。

また、治安回復、復興支援のためのPRT（地方復興チーム）にも、フィンランドは参加し、資金面でもアフガン国軍信託基金に対して1億4000万ドル以上を拠出している。

フィンランドはイラクにおいても、イラク治安部隊への教育、訓練を任務とするNATOイラク任務（NMI）に対して、人員を派遣している。NATO非加盟国でありながら参加していたのは、フィンランド、スウェーデン、オーストリアのみであった。

日本での一般的なイメージとは大きく異なるかもしれないが、フィンランドは、このように自国軍の国外への派遣にも積極的に取り組み、国際社会の安定に貢献してきた。

ちなみに、日本はインド洋において、テロ対策海上阻止活動を行う諸外国の艦船に対して、海上自衛隊による補給支援活動を展開した。自衛隊の海外派遣について、それまでと比較すれば大きく前進したが、アフガニスタンに関してはフィンランドのように地上部隊の派遣までには至らなかった。

だが、民主党が政権を獲得すると、インド洋における補給支援活動を終了させてしまった。これは国際社会の課題に背を向けて、責任を放棄する決定だったといえよう。

「中立国」とは言えないレベルだったNATOとの協力関係

フィンランドとNATOとの協力関係は、年を追うごとに緊密になっていった。2014年9月にはNATOウェールズ首脳会合において、軍事的貢献により高次の機会が提供されるパートナー（EOP）というステータスが、スウェーデン、ジョージアなどとともに、フィンランドにも付与された。フィンランドとNATOの間には、高いレベルの相互運用性が、加盟以前からすでに実現していたのだ。

フィンランドは、NATOによる冷戦後最大規模の共同軍事演習である「トライデント・ジャンクチャー2018」にスウェーデンとともに参加しており、フィンランド領空も演習の舞台となった。また、2018年10月には、米空軍の実施する演習「レッド・フラッグ・アラスカ」にも初めて参加した。

こうした変化について、日本ではほとんど理解されておらず、相変わらずフィンランドは中立国とみなされていた。だが、実際には、ロシアによるウクライナ侵略の前には、フィンランドはNATO加盟の一歩手前まで至っていたといえよう。

ただし、ロシアへの一定の配慮から、最後の一押しとなるNATOへの正式加盟は見送られていた。フィンランドとしては、ロシアに対する抑止力を向上させながら、ロシアとの経済関係や対話を維持していた。状況を一変させたのは、繰り返しになるが、ロシアによるウクライナへの全面侵攻だった。

なお、スウェーデンもフィンランドと同様、ロシアによるウクライナ侵略の前から、NATOとの協力関係をボスニア、コソボ、アフガニスタンなどで深めていた。2011年のリビア内戦に際しても、NATO非加盟国でありながらグリペン戦闘機8機を偵察目的で現地に派遣し、その航空偵察能力はNATOで高く評価された。

ちなみにフィンランドは、NATOの枠外でも、欧州各国との連携を進めていた。例えば2019年には、スウェーデンに加えて、フランス、ドイツ、オランダ、ポーランド、ノルウェーとともに、3Dプリンター技術に関する4か年プロジェクトを立ち上げた。同技術の活用によって、在庫に頼らない部品調達など、兵站(へいたん)に革命が起きる可能性が取り沙汰されている。

アメリカとの関係強化の積み重ね

フィンランドのNATOに対する協力が、ヨーロッパにとどまらず中東地域にも及んだのは、なぜだろうか。

アフガニスタン、そしてイラクにおけるテロとの戦いは、2001年9月11日のアメリカ同時多発テロ事件を起点としており、これを主導したのが、アメリカだった。日本を含む各国は、テロ対策の重要性に加えて、アメリカとの関係を考慮に入れて、テロとの戦いに協力し、アフガニスタン、そしてイラクに関与した。

フィンランドにも同様のアイデアがあっただろう。すなわち、アメリカとの関係を強化するための一つの材料として、中東でのテロとの戦いに協力するという考えである。そこには、日本でイメージする中立国という姿ではなく、アメリカの同盟国に限りなく近いフィンランドの姿があったといえる。

アメリカのバイデン大統領は、フィンランドのNATO加盟申請直後にニーニスト大統領と会談した際、

「フィンランド軍及びスウェーデン軍は、すでにコソボ、アフガニスタン、イラクで、アメリカ軍及びNATO軍とともに、肩を並べて任務を遂行している」

と述べた。フィンランドが長年にわたってNATOが主導する作戦に協力し、信頼を積み重ねてきていたことが、加盟申請に対するアメリカの支持につながったのだ。

フィンランドが国外で積んでいた「善行」が、ロシアのウクライナ侵略により危機に直面したフィンランドに、回り回って戻ってきたといえよう。まさに、「情けは人のためならず」である。

ロシアによるウクライナ侵略以降、フィンランドは、ロシアの脅威に対抗するため、アメリカとの関係を急速に深化させていった。

ニーニスト大統領は、ウクライナ侵略開始直後の2022年3月、NATO加盟申請直後の同年5月、国連総会開会中の同年9月、そして2023年3月に、アメリカを訪問した。およそ1年の間に、4度にわたって国家元首が訪米したことから、フィンランドがアメリカとの関係をいかに重視しているかがわかる。その主たる目的は、NATOへの正式加盟に向けて、アメリカのバックアップを獲得することだったといえよう。

加えて、フィンランド外交筋によれば、2023年3月の訪米については、貿易促進という意味合いも大きかったという。ウクライナ侵略以降、フィンランドは、ロシアとの経済関係を縮小している。フィンランドにとっては、ロシアによって空いた穴を補ってくれるパートナーを探すことが、急務となっていた。フィンランドにとって最大の貿易相手国であるアメリカは、候補筆頭といえよう。ニーニスト氏は、フィンランド大統領として数十年ぶりに、アメリカ西海岸を訪問した。ワシントン州議会では外国元首として初めて演説した。フィンランドにとってのアメリカの重要性は、安全保障にとどまらず、経済貿易分野にも及んでいる。

アメリカ側からも、フィンランドへの要人訪問が相次いだ。2022年6月には、ブリンケン国務長官が訪問し、ヘルシンキ市庁舎で、ロシアの戦略的失敗とウクライナの安全な未来と題して、対露政策について演説した。同じころ、アメリカ軍制服組トップのミリー統合参謀本部議長も、フィンランドを訪問した。

さらに、2023年7月には、バイデン大統領が、フィンランドを訪問した。これまでにもアメリカ大統領がフィンランドを訪問したことがあった。1990年にはブッシュ大統領がゴルバチョフ大統領と、1997年にはクリントン大統領がエイツィン大統領と、2018年にはトランプ大統領がプーチン大統領と、フィンランドで会談し、フィンランドは米露首脳による外交舞台となった。だが今回初めて、ロシアの指導者との会談ではなく、二国間訪問のためにアメリカ大統領がフィンランドを訪れた。米紙ウォール・ストリート・ジャーナルは、バイデン訪問がフィンランドの中立転換を確固たるものにしたと報じた。加えて、バイデン大統領のフィンランド訪問中には、アメリカと北欧5か国の首脳会合が、２０１６年以来初めて開催され、安全保障や先端技術分野での協力が謳われた。

アメリカからの武器購入と軍事演習

フィンランドとアメリカとの関係は、軍事面でも大きな進展を見せている。ロシアに対する抑止力を高めるために、フィンランドは、アメリカの軍事的なバックアップを大いに必要としている。その内容は、武器売却、フィンランド国内での合同軍事演習など多岐にわたっている。当然ながらそこには、中立国の面影はまったくない。なお、アメリカとフィンランドは、１９９５年から防衛協力を深化させていると、フィンランド政府は説明している。

アメリカからの武器売却については、ロシアのウクライナ侵略以前から大きな動きがあった。２０２１年12月、フィンランド国防省は、次期戦闘機について米ロッキードマーティン社製のＦ‐35を選定した。競合相手だった米ボーイング社、仏ダッソー・アビアシオン社、スウェーデンのサーブ社、ユーロファイター社は、入札に敗れた。

老朽化した現在の米国製F／A－18ホーネット戦闘機に代わって導入されることとなる最新鋭主力戦闘機F－35は、2025年から2030年にかけて64機の調達が予定されている。調達コストは総額で84億ユーロ（約1兆1000億円）に上り、フィンランドにとって過去最大の武器取引となった。

ウクライナ侵略以降も、バイデン政権は、フィンランドの自衛能力増強のため、武器売却を決定している。2022年12月には、携帯型地対空ミサイル「スティンガー」の売却が、3億8000万ドルで決定した。350基の調達が予定されている。

スティンガーがどれほど有効な兵器かは、ウクライナの現状を見れば明らかである。スティンガーは、射程は短いものの機動性に富むという特徴を備えている。携行型対戦車ミサイル「ジャベリン」などと並んで、ウクライナの善戦を支える鍵となっている。

一方で、ウクライナ侵略の影響は、スティンガーの生産体制にも及んでいる。米レイセオン社はスティンガーの増産について、部品不足のために時間を要するとの見方を示している。70歳代の元従業員も呼び戻され、まさに猫の手も借りたい状況だという。

なお、アメリカは2019年7月に、台湾へのスティンガー売却も決定しており、友好国への武器売却を通じて、中露への備えを加速させている。

アメリカはスティンガーの売却を決定した前月にも、２度の武器売却決定に踏み切っている。フィンランドへの武器売却決定については、スティンガーの有用性といった軍事合理性に加えて、短期間のうちに繰り返し武器売却を決定することで、フィンランドに対するコミットメントに揺らぎはないという戦略的メッセージを、モスクワに対して発する狙いがあるといえよう。

フィンランドとアメリカとの間では、フィンランドにおける共同演習も頻繁に実施され、ロシアに対する抑止力の強化が図られている。２０２２年６月には、北部ラップランドで、アメリカ陸軍、フィンランド陸軍、ノルウェー陸軍によって、共同演習「リスキー22」が実施された。ロシアとの陸上国境を有するノルウェーも、危機意識を共有している。ちなみに、１９３９年にソ連がフィンランドに侵攻した「冬戦争」の際には、トナカイたちの暮らすラップランドからも、ソ連はフィンランドに侵入した。

アメリカ陸軍とフィンランド陸軍は、２０２２年10月には「ハンマー22」を実施した。ＮＡＴＯ正式加盟直後の２０２３年５月には、「アロー23」が実施され、アメリカ、フィンランドに加えて、イギリス、エストニア、ラトビア、リトアニアから陸軍が参加した。加えて、アメリカ海兵隊も、史上最長となる３か月にわたってフィンランドに派遣された。

アメリカ海軍の艦船も、相次いでヘルシンキに寄港している。2022年5月には、駆逐艦「グレーヴリー」と揚陸艦「ガンストン・ホール」が、8月には、強襲揚陸艦「キアサージ」が、12月には駆逐艦「ポール・イグナティウス」が入港し、アメリカ軍のプレゼンスが目に見える形で示された。

後で述べるように、フィンランドのNATO加盟申請後に課題となったのが、正式加盟までの期間について、フィンランドに対するコミットメントをどのような形で示すかという点だった。背景には、ロシアに誤ったメッセージを送ってはならないという緊張感があった。

これに対して、NATOの盟主であるアメリカは、以上のような手段を組み合わせることで対応しようとしたのである。

鍵を握ったアメリカ連邦議会上院対策

筆者の手元に、とある資料がある。クレジットは、在米国フィンランド大使館となっている。筆者が2023年3月に、同大使館を訪問した際に、参考資料として手渡されたものだ。ちなみに、筆者がかつて勤務していた霞が関では、政策のポイント数個を要領よくまとめた資料は「一枚紙」と呼ばれているが、それに近いスタイルだ。A4の紙一枚という点で共通しているが、日本の一枚紙よりもカラフルで、写真も効果的に配されている。フィンランド政府の作成資料は、霞が関の資料作成にも、参考になりそうだ。

筆者訪問のちょうど翌週に、ニーニスト大統領の訪米を控えるという慌ただしいタイミングだったが、面会した大使館幹部は1時間以上にわたって、フィンランドとアメリカとの関係について、さまざまな角度から説明してくれた。

在米大使館が資料を作成している目的は、首都ワシントンにおいて、フィンランドのNATO加盟について、理解を促進することだ。とりわけ連邦議会が、重点的な対象とのことであった。こうした働き掛けの効果もあって、連邦議会においては、フィンランドのNATO加盟に対して、大きな支持が寄せられた。

そもそもフィンランド政府が、連邦議会とのパイプ構築を重要視しているのは、なぜだろうか。NATOの盟主たるアメリカにおいて、加盟議定書批准プロセスの鍵を握っていたのが、アメリカ連邦議会上院だった。条約の批准にあたっては、議会上院の承認が必要となるからだ。

2022年5月、上院共和党トップのマコネル上院院内総務ら4名の共和党上院議員がヘルシンキを訪れて、ニーニスト大統領と会談した。マコネル氏は、8月の議会休会前に、批准を目指すと述べた。

その言葉どおり、議会上院は8月3日にフィンランドとスウェーデンのNATO加盟議定書について、批准決議案を可決した。賛成95、反対1だった。可決に必要な3分の2を大きく超える賛成票が投じられ、圧倒的な賛意が示された。

この上院承認の当日に筆者と面会したフィンランド政府高官は、安堵の表情を浮かべていた。フィンランドのNATO加盟プロセスにおいて、それだけアメリカが重要な存在だったということである。ワシントンの動向、とりわけ議会の動きに大きな関心を払う姿は、アメリカとの関係を重視する日本など西側同盟国と変わるところがない。

共和党保守派のコットン上院議員（ミズーリ州選出）は、議会演説でシモ・ヘイヘ（ハユハ）に触れた。ヘイヘは、次章で述べるように、第二次世界大戦の勃発直後にソ連がフィンランドを侵略した冬戦争で、大いに活躍した軍人だ。米議員による伝説的なスナイパーへの言及は、ソ連及びロシアと対峙してきたフィンランド人への敬意の表れだったといえよう。フィンランド政府高官も、筆者との面会で、この発言を好意的に受け止めていた。

NATO加盟承認後も、アメリカ連邦議会は、フィンランドへの関与を続けている。ミュンヘン安全保障会議で、２０２３年2月、民主党のクーンズ上院議員（デラウェア州選出）、クロブシャー上院議員（ミネソタ州選出）らが、ニーニスト大統領と会談した。クーンズ議員は、バイデン大統領と近いことで知られている。同会議は、例年2月にドイツ南部ミュンヘンで開催され、欧州はじめ各国の外交・国防関係閣僚らが参加し、安全保障におけるダボス会議ともいわれている。

上院議員のフィンランド訪問も相次いでいる。２０２３年2月には、マコネル上院院内総務、トム・ティリス議員（ノースカロライナ州選出）ら共和党の上院議員6人が、ヘルシンキを訪れた。5月には、マコネル氏が再び訪問した。

なお、フィンランドとスウェーデンのNATO加盟議定書の批准決議案をめぐって、上院での採決で唯一の反対票を投じたのは、共和党のホーリー上院議員（ミズーリ州選出）だった。同議員は、ロシア、そして欧州の安全保障ではなく、中国への対応を優先すべきだと主張しており、ウクライナに対する巨額の支援に対しても異論を唱えている。

プーチン大統領の反発

フィンランドのニーニスト大統領は、NATOへの加盟申請表明の記者会見の前日、

2022年5月14日、ロシアのプーチン大統領との間で、電話での首脳会談を実施した。その中でフィンランド側がNATO加盟申請の方針を伝えたところ、プーチン大統領は伝統的な軍事的中立政策の廃棄は誤りと述べて、反発を示した。

ロシア元大統領のドミトリー・メドベージェフ安全保障会議副議長は、バルト海への核兵器配備に言及し、ロシア外務省も、軍事技術的な報復措置を余儀なくされるとの声明を発出し、フィンランドとスウェーデンのNATO加盟を牽制した。加えてロシア側は、軍事的にも反応した。ショイグ国防相は、西部軍管区に12の部隊を増強するとの方針を示した。レニングラード軍管区も新たに設けられた。

ニーニスト大統領は元来、プーチン大統領と良好な関係を築いており、プーチン大統領を最もよく知る西側のリーダーの一人だと評されている。アイスホッケーの試合に、ともに出る間柄でもあった。2018年7月には、ヘルシンキにおいて、トランプ大統領とプーチン大統領の米露首脳会談を仲立ちしている。だが、必要とあらば、NATOへの加盟申請というプーチン大統領が耳にしたくない話題もしっかりと伝達している。

ロシアあるいは旧ソ連にとって、フィンランドのNATO加盟は、受け入れがたい変化であった。例えばゴルバチョフ元大統領は、西側との協調的な姿勢を示したことで知られている。１９８９年10月にはヘルシンキを公式に訪問し、フィンランドの中立を尊重するとした。しかし、そのゴルバチョフですら、フィンランドによるＮＡＴＯへの加盟には、難色を示し続けた。

クルド問題でトルコの批准が難航

フィンランドとスウェーデンのＮＡＴＯ加盟については、すでに述べたように、申請からわずか4か月足らずで、加盟国30か国のうち28か国が批准した。

だが、ＮＡＴＯへの加盟については、多数決によって決定するわけではないことに、注意しなければならない。北大西洋条約第10条に、「締約国は、全会一致の合意により、（中略）他のいかなる欧州の国を本条約に加入するよう招請することができる」と規定されている。つまり、加盟国のうち1か国でも反対すれば、加盟できないということであり、残り2か国、トルコとハンガリーがなかなか首を縦に振らなかった。

エルドアン大統領が盾にとったのが、この全会一致という規定だった。フィンランド、スウェーデン両国のＮＡＴＯ加盟に対して、トルコは事実上の拒否権を発動した。反対することによってバーゲニングパワー（交渉力）を手にし、自国にとって有利な条件を引き出そうとした。

2022年6月のマドリードでのNATO首脳会合に際して、ニーニスト大統領、スウェーデンのアンデション首相、エルドアン大統領は、NATOのストルテンベルグ事務総長も交えつつ、首脳レベルでの協議を実施した。1時間と見込まれていた協議は、4時間近くに及んだものの、フィンランド、スウェーデン、トルコ3か国によって、覚書が署名された。

この時、トルコがこだわりを見せた点の一つが「クルド問題」だった。トルコは、フィンランドとスウェーデンが分離主義組織「クルド労働者党(PKK)」を支援しているとして、両国の加盟に難色を示した。

PKKは1970年代後半から活動を開始し、トルコ南東部の分離独立を掲げ、その武装闘争の一環として、同国内でテロ活動を行ってきた。一方で、難民の受け入れに寛容なフィンランドやスウェーデンは、クルド人を受け入れた。それに対して、トルコのエルドアン大統領はテロ支援だと非難していた。

フィンランドとスウェーデンは、トルコに対して歩み寄りを見せた。すなわち、両国はクルド労働者党をテロ組織と認定し、トルコからのテロ容疑者の引き渡し要求に迅速に対応するとした。加えて、トルコに対する武器禁輸措置も解除するとした。スウェーデンは2021年には、武器輸出国として世界第12位となっている。

こうした対応には、フィンランドの現実主義的な側面が強く表れているといえる。日本ではフィンランドや北欧に対して、人権重視といったイメージが強いかもしれない。だが、死活的な国益と天秤にかけた場合には、国家の利益が優先されるというのが、フィンランドの答えだった。それだけNATO加盟はフィンランドにとって、重みのあるものだった。

2023年3月には、ニーニスト大統領が、トルコの首都アンカラを訪問し、エルドアン大統領と会談した。会談後にエルドアン大統領は、議会での手続きを進める考えを示した。トルコ議会は3月30日に、フィンランドの加盟を全会一致で承認した。これによって、フィンランドのNATO加盟に向けた最後の関門が、取り払われた。

スウェーデンの加盟についても、リトアニアの首都ビリニュスで7月に開催されたNATO首脳会合に際して、エルドアン大統領が容認に転じた。

フィンランド及びスウェーデンとトルコとの間での交渉進展で、大きな役割を担ったのが、アメリカだった。マドリードでの協議を前にして、フィンランドとスウェーデンは、アメリカにトルコの説得を依頼していた。これを受けてバイデン大統領は、エルドアン大統領に急遽電話し、マドリードでのチャンスを逃さないように求めたという。

アメリカがトルコに対して手にしていた中で、最も強力だったのが、F-16戦闘機の供与というカードだった。そもそもトルコがアメリカとの関係をこじれさせた原因の一つが、ロシア製のミサイル防衛システムS-400の導入だった。これに反発したアメリカが、F-35戦闘機の共同開発計画からトルコを排除したことで、トルコは代わりに、F-16の供与をアメリカに求めることとなった。そしてトルコが、本来的には無関係であるフィンランドとスウェーデンのNATO加盟と、F-16戦闘機供与を事実上リンクさせたことで、問題が複雑化したのだった。

トルコがスウェーデンのNATO加盟容認に転じたことで、バイデン政権もF-16供与に前向きな姿勢を示した。しかし、民主党のメネンデス上院外交委員長は、トルコの人権状況を理由に反対しており、なお不透明な要素がある。

トルコは、フィンランド、スウェーデン、そしてアメリカから譲歩を引き出した。エルドアン大統領の言わば瀬戸際外交は、クルド問題に加えて、F-16戦闘機についても前進が見られ、戦術的には成果を上げたといえるかもしれない。

ただし、戦略的な意味でトルコにとって成功であったのかどうかは、疑問なしとはしない。森元誠二元駐スウェーデン大使は、「相手の足元に付け込む『バザール商人』的な発想」と評している。NATOに加盟したいというフィンランドの希望は、極めて切実なものだった。そうした他国の死活的な国益を人質にして、同盟を攪乱するような行動を取ることは、長期的に見れば国家としての信頼を傷つけかねないだろう。

ロシアに大きくエネルギー依存しているハンガリー

筆者は、フィンランドでの在外研究中に、東ヨーロッパの国々にも足を延ばす機会を得た。外務省で勤務していたころには、ロンドンでも暮らしていたが、この地域を訪れるチャンスは残念ながらなかった。だが、ロシアのウクライナ侵略以降、東ヨーロッパを実際に目にしたいとの考えは、大きくなっていた。

初めて訪れたハンガリーの首都ブダペストは、王都の風格が漂う街であり、ドナウ河畔からの眺めは、飽きることがなかった。

ブダペスト市内、特にペスト側を歩いて感じたのは、バルト三国やポーランドとの違いだ。バルト三国やポーランドでは、ウクライナに対するサポート、そしてロシアに対する反発が、目に見える形で示されていた。だが、ハンガリーでは、そうしたシーンに遭遇することは、非常に少なかった。ウクライナ、そしてロシアに対する感情には、同じ東ヨーロッパといっても違いがあるようだ。こうした国民感情が、フィンランドによるNATO加盟申請に対するハンガリーの対応にも、少なからず影響を与えていただろう。

現在のオルバン政権の下で、ハンガリーは権威主義化したとの批判がある。対外政策にも顕著な特徴がある。オルバン首相は2014年に、ロシアについて、中国などと並んで「花形の国々」と言及した。それだけではなく、ロシアとの関係を実際に強化していった。天然ガスと原油をロシアから輸入するだけでなく、ロシア国営原子力企業ロスアトムが原発建設計画を進めており、エネルギー分野でロシアに大きく依存している。

ロシアによるウクライナ侵略後も、オルバン首相はロシアとの関係を維持し、他のEU加盟国との違いが浮き彫りになった。隣国ウクライナへの武器供与を否定し、武器の運搬ルートとなることもないとの立場が示された。

2022年3月の欧州理事会にオンラインで参加したゼレンスキー大統領は、オルバン首相に対して、「(ウクライナ側かロシア側か)どちらの側につくか迷う時間はなかろうに」と詰め寄った。

こうしたオルバン首相の親ロシア的な姿勢もあり、ハンガリーはフィンランド及びスウェーデンのＮＡＴＯ加盟申請に対しても、消極的な姿勢を示した。

なお、フィンランドは、オルバン政権の政策に対して、批判的な行動をとったことがあった。強権的との批判が上がったハンガリーの新型コロナウイルス感染症対策法について、フィンランド、スウェーデンなど北欧諸国の外相は、オルバンに直接言及する共同書簡を２０２０年５月に公表した。前月にドイツやフランスなどＥＵ加盟19か国も共同声明を発出したが、その中では特定の加盟国の名指しは避けられた。フィンランドなど5か国の非難は、他のヨーロッパ諸国と比較して、一歩踏み込んでいた。

こうした行動をめぐってハンガリー側が、フィンランドとスウェーデンに対して不満を持ち、両国のＮＡＴＯ加盟についての態度に影響した可能性もあろう。

それでも、２０２３年３月にハンガリー議会は、フィンランドの加盟申請を承認した。スウェーデンの加盟申請については、7月に訪日したハンガリー外務貿易相によって、10月までに批准という見通しが示されている。いずれについても、トルコよりも前に手続きを終え、最後の批准国にはならないという姿勢が示されている。

スカンジナビア半島全体がNATO域内に

フィンランドによるNATOへの加盟は、地政学上、あるいは戦略上、いかなる影響をもたらすのだろうか。

アメリカ軍制服組トップのミリー統合参謀本部議長は、

「ロシアの観点からすれば、軍事的には非常に問題となるだろうし、NATOにとっては非常に有利になるだろう」

と述べて、フィンランド、スウェーデン両国のNATO加盟の意義を強調した。

長島純元航空自衛隊幹部学校長（空将）が指摘するように、フィンランドが所在するスカンジナビア半島は、ロシアにとって外洋への出口を閉ざす自然の障壁となっている。大陸国家であるロシアにスカンジナビア半島が覆いかぶさるように伸びており、ロシアの行く手を阻んでいる。その半島全体がNATO加盟国となるインパクトは、極めて大きい。

具体的にはロシアにとって、以下のようなマイナスの効果が考えられる。

冷戦期には、フィンランドとスウェーデンの両国は中立国であった。冷戦が終結した後も、両国は軍事的非同盟という政策を採用することで、スカンジナビア半島にはNATOの域内と域外が並存する状態が続いていた。

だが、両国の加盟によって、スカンジナビア半島全体が、ＮＡＴＯの域内となる。両国によるＮＡＴＯへの加盟で、スカンジナビア半島全体が、文字通りロシアの行く手を阻む格好となった。

また、これまでロシアとＮＡＴＯとの間の境界は、約１２００キロだった。だが、フィンランドとロシアの間には、１３００キロを超える陸上国境がある。よって、ＮＡＴＯとロシアの間の境界は、フィンランドの加盟によって約１２００キロから約２５００キロに倍増した。

ロシアは地上における領域警備について、これまで以上に軍事資源を投入せざるをえず、経済的な負担ものしかかることだろう。

加えて注目されるのが、コラ半島だ。ロシア最北の不凍港ムルマンスクには、北方艦隊司令部が置かれ、その北東の都市セヴェロモルスクには、北部統合戦略コマンドの司令部が置かれている。原子力潜水艦も配備され、北極海に睨みを利かせている。ロシアにとって軍事的に重要なコラ半島、そしてその沖合のバレンツ海から至近距離のフィンランドがＮＡＴＯ加盟国となる意味は小さくない。

ＮＡＴＯとの有事の際に北方艦隊は、バレンツ海の制海権を握り、アメリカからヨーロッパへの増援部隊の輸送を阻止することを狙うだろう。ウクライナ侵略後も、北方艦隊は無傷で温存されており、NATO側としても警戒を要する存在だ。

さらには、ロシア第二の都市サンクトペテルブルクからフィンランドまでの近接性も、注目に値する。フィンランド国境まで、わずか140キロであり、ヘルシンキまでも、290キロしか離れていない。

バルト海をめぐる戦略環境も、フィンランドとスウェーデンのNATOへの加盟によって変化するだろう。スウェーデンのゴトランド級潜水艦が、水深の浅いバルト海でNATO側のアセットとして稼働することとなるだろう。

バルト海に面するロシア領としては、まずはサンクトペテルブルクが挙げられる。ここには、西部軍管区司令部やバルト艦隊司令部が置かれている。

他には、飛び地として、リトアニアとポーランドの間に所在するカリーニングラードがある。ここは、日露戦争の際にロシアのバルチック艦隊が極東に向けて出港した地である。

ロシアは、戦略的な要衝であるカリーニングラードに弾道ミサイルのイスカンデルを配備している。この配備は、ポーランドなどのNATO加盟国に対して、核による威嚇を行ったに等しい。

ただし、サンクトペテルブルクとカリーニングラード以外のバルト海の沿岸は、すべてNATO加盟国となる。NATO加盟国に取り囲まれたバルト海は、NATOの内海、あるいはNATOの湖といえよう。ロシアにとって戦略的に重要なカリーニングラードへのアクセスに支障が生じたり、ロシア海軍の活動の自由に制約が生じたりするだろう。

アメリカのミリー統合参謀本部議長は、2022年6月にフィンランドとスウェーデンを訪問した際、「バルト海は戦略的に非常に重要であり、世界の重要な海路（seaway）の一つだ」とロイター通信に対して述べている。バルト海には、実に9か国が面している。ロシアからヨーロッパにガスを送る海底パイプラインであるノルド・ストリームの爆破も、バルト海で2022年に発生した。

バルト海要衝の島

バルト海には、戦略上の要衝となる島が浮かんでいる。フィンランド領であるオーランド諸島に加えて、スウェーデンのゴットランド島がある。

両島が注目を集めるのは、管制高地（commanding heights）と位置付けることができるからだと長島純元空将は指摘している。管制高地は戦略的な要衝であり、軍事的に支配することによって、全体を俯瞰し戦局を制することができる。日本近代史において有名な管制高地と言えば、日露戦争における重要なポイントとなった二百三高地だろう。旅順に所在するこの高地を掌握するために、乃木希典大将は奮迅した。

オーランド諸島とゴットランド島は、海底ケーブルという点でも重要である。どちらも海底ケーブルの陸揚げ地点であり、もしロシアによって寸断されれば、バルト三国の通信は麻痺状態に陥ってしまうだろう。

ボスニア湾の入口に位置するオーランド諸島は、フィンランドの中でも極めて特殊な立ち位置にある。１８０９年に、当時スウェーデンの一部だったフィンランドがロシアへ割譲される際、地理的な点からもフィンランド本土とはほとんどつながりがなかったものの、オーランド諸島もロシアに割譲された。

１９１７年にフィンランドがロシアから独立する直前には、オーランド諸島からスウェーデン国王に対して、スウェーデンへの帰属を求める請願書が提出されるなど、領土問題が発生した。

当時、設立から間もなかった国際連盟に、オーランド問題の解決が委ねられることとなった。その帰属問題の解決で重要な役割を果たしたのが、当時、国際連盟事務局次長を務めていた新渡戸稲造(にとべいなぞう)であった。

国際連盟理事会は、主権の帰属はフィンランドとする一方で、広範な自治を認めるという裁定を承認した。日本代表である石井菊次郎元外相も、同裁定に対して積極的な支持を表明していた。この裁定は新渡戸裁定とも称され、オーランド諸島に平和をもたらした新渡戸に対して、住民は今でも尊敬の念を抱いているという。

オーランド諸島は、現在でも住民のほとんどがスウェーデン語を母語としており、自治が保障されている。

ロシアはオーランド諸島においても、「前科」がある。列強の間では、クリミア戦争の頃から、この島の重要性は認識され、イギリスとフランスの艦隊が攻撃した。同戦争の講和条約であるパリ条約（１８５６年）によって、オーランド諸島の要塞化は禁止された。しかし、第一次世界大戦中にロシアは、条約に反してこの島を要塞化した。

１９１７年にフィンランドがロシアから独立した後も、ロシア・ソ連はオーランド諸島にこだわりを見せた。１９３８年にソ連は、オーランド諸島の再要塞化を非公式ながら提案した。ソ連の狙いは、バルト海の防衛強化だったが、フィンランドは拒否している。歴史的にみても、ロシアがオーランド諸島に強い関心を抱いていることがわかるだろう。

オーランド諸島は、国際条約によって非武装が義務付けられている。フィンランド政府は、2022年5月の報告書で、NATO加盟は国際条約に基づくオーランド諸島の地位に影響を与えるものではなく、この地位が加盟の障害となるものでもないとした。

一方で、有事に際してロシアが国際法を平気で無視するということは、我々が現在、ウクライナで目の当たりにしている通りだ。戦時にロシアは、NATO分断を狙ってこれらの島々を占拠し、核搭載可能な中距離核ミサイルであるイスカンデルを配備することも考えられるだろう。

不沈空母とも呼ばれるスウェーデンのゴットランド島には、冷戦期に数百人規模が駐屯していたが、こちらも2004年に非武装化された。だが、2016年には軍事演習が実施され、2017年には地対空ミサイルが配備されて軍事基地が再開された。スウェーデンは、ウクライナ侵略後の2022年6月に、ゴットランド島においてアメリカ軍との共同演習を実施し、警戒を高めている。

バルト海には他に、デンマーク領のボーンホルム島が浮かんでおり、オーランド諸島、ゴットランド島と同じく、戦略上の要衝となっている。

NATOから見たフィンランドとスウェーデン加盟の意味

　フィンランド及びスウェーデンによるNATO加盟は、両国にとってプラスなだけではなく、バルト三国にとっても、利益がある。NATOのアキレス腱とも言われてきたバルト三国は、戦略的縦深性が低く、増援経路も限定的である。したがって、有事の際には、近接するフィンランドそしてスウェーデンの存在が重要となるからだ。だからこそバルト三国は、フィンランドとスウェーデンのNATO加盟申請を強く歓迎した。

　さらに、フィンランド及びスウェーデンの加盟は、NATOにとっても意味がある。NATOによる両国に対する防衛義務に焦点が当たりがちであるが、フィンランドもスウェーデンも、NATOから防衛されることを一方的に期待しているのではないということだ。

　近年のNATO新規加盟国は、すべてがバルカン半島の国々であった（**図4**）。2017年に加盟したモンテネグロ、2020年に加盟した北マケドニア（2019年にマケドニアから国名変更）などは、大規模な軍事力を保有していない。一方で、フィンランドとスウェーデンは、一定規模の軍事力を有している。この点が、バルカン半島の新規加盟国との大きな違いとなる。

両国ともに、NATOによる集団防衛に対して、貢献する意思と能力を持っているといえよう。両国が、安全保障の「消費者」ではなくて、「貢献者」であるという点は、NATOにとって心強い限りだ。

フィンランドについては、防空システム、そしてバルト海及び北極圏における情報収集・警戒監視・偵察（ISR）が、NATOにとって貴重なアセットとなるだろう。ロシアに対するこの地域での「見張り」をより充実させられるということだ。

この地域で部隊が移動するにあたり道路や鉄道が必要となるが、フィンランドの加盟によって必要インフラが提供されることになる。筆者はタンペレを拠点にして、北はラップランドの中心ロヴァニエミから、南はヘルシンキまで、フィンランド鉄道に乗って、長距離移動したが、北極圏にまで及ぶ鉄道インフラは、よく整えられているとの印象を受けた。

スウェーデンも、北欧諸国の中でも相対的に強い軍事力を有しており、常に最新鋭の兵器を開発配備している。スウェーデンは、さらに先進的なA26型潜水艦も、建造中である。

技術面でも両国は、貢献することが可能であろう。フィンランドには世界的な通信機器メーカーのノキアがあり、パトリア社など独自の防衛産業も存在している。スウェーデンには、航空機製造のサーブ社があり、先端的な軍事技術を有することも、見逃せないポイントだ。

同盟による集団防衛に対して、一方的に期待しておんぶにだっこになってしまうのではなく、自らも貢献する。こうしたフィンランドの方向性も、日本にとって大いに参考になる。とかく日本では、アメリカによる日本に対する防衛義務にばかり目が行きがちである。しかし、同盟というチームプレーに対して、自分たちは何ができるのかという視点を持つことも大切であろう。

ただし、今後の課題も存在している。すでに述べたようにフィンランドは、NATOに加盟する以前から、高次の機会が提供されるパートナー（EOP）との位置付けが与えられ、フィンランドとNATOの間には、高いレベルの相互運用性が、加盟以前から実現していた。しかしながらフィンランドは、共同作戦計画の策定には参加していなかったことから、今後はこの点についての対応が必要となるだろう。

なお、フィンランド国内でのNATO基地設置については、2023年7月の世論調査によれば賛成が46%、反対が43%となっている。

NATO加盟までの期間の安全保障上の空隙

フィンランドによるNATOへの加盟プロセスは、今まで述べてきたように、異例の速さで進められた。しかし、申請即加盟というわけにはいかず、加盟を申請してから正式に加盟するまでの間には、通常よりも短いとはいえ一定の期間が生じてしまう。加えて、トルコなどの消極姿勢によって、この期間がどれくらい続くのか、不透明な状況が続いた。

申請から加盟までの間は、厳密に言えば、フィンランド、スウェーデンいずれも、NATOの正式な加盟国ではない。したがって、NATOの核心である北大西洋条約第5条「欧州又は北米における一又は二以上の締約国に対する武力攻撃を全締約国に対する攻撃とみなす」の適用を受けることができない。すなわち、敵からの攻撃に対して、集団防衛が発動されないということだ。

そこで重要となるのが、この期間について、フィンランド、そしてスウェーデンをめぐって、安全保障上の空隙が生じないようにすることだった。ロシアに対して隙を見せないようにするためには、どうすればよいのか。

この点について筆者は、フィンランド政府関係者との間で議論を交わした。反応は概して楽観的であったといえよう。アメリカなどとの間で、相当程度に緊密な意思疎通が、水面下で秘密裏に図られているのだろうという印象を持った。万が一の事態に対して、NATO側との連携が遺漏なく準備されていたものと考えられる。

この課題に対して最も大きな役割を果たしたのは、アメリカだった。すでに述べたように、アメリカはスティンガーなどの武器売却を決定し、フィンランドでの合同軍事演習を実施し、アメリカ海軍の艦船をフィンランドに寄港させた。ロシアに向けて、アメリカのフィンランドへのコミットメントを見せることが目的だったといえよう。

翻って、日米同盟の下でアメリカは、日本の防衛に対して法的にコミットしている。フィンランドから日本の現状を眺めてみて、アメリカの対日防衛義務を規定した日米安保条約第5条の重要性が改めて感じられた。同条は「各締約国は、日本国の施政の下にある領域における、いずれか一方に対する武力攻撃が、自国の平和及び安全を危うくするものであることを認め、自国の憲法上の規定及び手続に従って共通の危険に対処するように行動することを宣言する」と規定している。

イギリスによる安全保障への関与

フィンランドの安全保障へのコミットメントに関して、アメリカに加えて重要だったのがイギリスだった。フィンランドにとって、NATO加盟国の中で、アメリカに次ぐ安全保障上の後ろ盾がイギリスであり、当時のボリス・ジョンソン首相は、フィンランドへの安心供与について、積極的な動きを見せた。

ジョンソン首相は2022年5月、フィンランドを訪問し、ニーニスト大統領と会談した。共同声明では、攻撃された場合の軍事的手段を含む援助が謳われた。すでに述べたように、NATOへの加盟申請から加盟が正式に決定するまでの間は、北大西洋条約第5条による集団防衛の恩恵に、フィンランドはあずかることができないが、イギリスのコミットメントによって、こうした移行期に安全保障上の空隙を生じさせないことが、共同声明の狙いだったといえる。

一方で文書の性格については、政治的宣言であるとして、国際法上の法的拘束力を持つコミットメントではないことが明示された。

平たく言えば、フィンランドが正式にNATO加盟国となる前に、ロシアによって侵略されないように、イギリスが一筆入れたということだ。NATOへの正式加盟が、正式な契約書だとするならば、イギリスがしたためたのは、いわばメモ書きだった。しかし、フィンランドにとっては移行期間の安心供与としては、ありがたい申し出だったといえよう。

そもそもイギリスは、NATOの生みの親とも言われている。そして現在もイギリスはNATOにおいて、アメリカに次ぐ存在感を放っている。

NATOにおける共通予算の負担割合は、各国のGDPなど経済力におおよそ基づき、NATO上級財務委員会で決定されている。2021年から2024年では、イギリスはおおよそ11％となっている。

背景にはイギリスの外交・安全保障戦略の存在もある。特に2020年1月31日にEUを離脱した「ブレグジット」以降、イギリスが重視している地域がインド太平洋と東欧である。イギリスによるインド太平洋への関与強化は、英語では「傾斜（tilt）」と表現されているが、環太平洋パートナーシップ（CPTPP）協定への加入や空母クイーン・エリザベスの派遣が、象徴的な動きといえよう。

ヨーロッパ方面で活用されているのが、イギリスが主導する統合遠征部隊（JEF）という枠組みだ。2014年にNATOウェールズ首脳会合で立ち上げられたこの枠組みは、アフガニスタン、イラクでのイギリスとの協力を源流とし、北欧諸国などヨーロッパ9か国によって共同運用される部隊である。参加国はイギリス、フィンランドに加えて、デンマーク、エストニア、ラトビア、リトアニア、オランダ、ノルウェー、スウェーデンである。

ＪＥＦは危機にあたって、北太平洋条約第5条の発動を待たずして、柔軟な対応を可能とする有志連合と位置付けることができる。フィンランドとスウェーデンが、ＮＡＴＯへの正式加盟を実現するまでのタイミングにおいて重要な枠組みだ。

イギリスが、フィンランドを含む北欧やバルト3国に対して、安全保障上のコミットメントを深めようとしていることは、日本ではほとんど知られていない。ロシアの脅威にさらされている国々にとって、イギリスの軍事的な下支えは重要である。ブレグジットを経てもなおイギリスは、西側の安全保障秩序を支える意志と実力を兼ね備えている。そうしたイギリスとの間で日本は、安全保障上の協力をさらに進めていくべきである。

政策的な選択としての「中立」

そもそもフィンランドがかつて採用していた「中立」は、どのような性質のものだったのだろうか。それは法的に規定されたものではなく、政策的な選択であった。

ここで両者の違いについて、日本の外交・安全保障政策を例にして考えてみたい。日本で2015年に制定された平和安全法制は、安倍晋三政権による政策的な成果の一つであった。この重要な立法成果によって達成されたのが、集団的自衛権の行使解禁だ。

平和安全法制が成立するまでの憲法解釈によれば、憲法上は集団的自衛権を保有しているが、行使は認められないというものだった。日本国憲法は、明示的に集団的自衛権の行使を禁じていたわけではないというのがポイントだ。すなわち、日本は政策的な選択として集団的自衛権を行使しないとしていたのであって、行使が法的に禁じられていたわけではなかったということだ。だからこそ、憲法解釈を変更して、集団的自衛権の行使を解禁することができたのである。

政策変更の背景には、中国、北朝鮮、ロシアの動向によって、日本周辺の安全保障環境が劇的に悪化していたことがある。

元に戻って、フィンランドの中立について考えてみよう。ここで、次章でも触れるフィンランド・ソ連友好・協力・相互援助条約について見ておきたい。１９４８年に結ばれた同条約は、戦後フィンランド外交を大きく規定することとなるが、その前文には、「大国間の利害紛争の圏外に立ちたいとのフィンランドの願望」を考慮すると書き込まれていた。だがこの文言は、あくまでもフィンランドの願望を述べているにすぎない。フィンランドに対して、中立を法的に課しているとはいえない。

フィンランドに対して、中立を義務付ける条約が存在しているわけではなく、国際法上の基盤があるわけではない。あるいは中立に、憲法上の基盤があるわけでもない。フィンランドの中立には、条約上あるいは憲法上の法的基盤が存在していたわけではない。

フィンランドの中立とは、日本のかつての集団的自衛権行使禁止と同じように、政策的な選択であった。したがって、安全保障環境に変化が生じれば、政策が変動する可能性をもとより秘めていたのである。

そして、実際にソ連が崩壊してからのフィンランドは、西側へと接近していったのだった。フィンランドにとっての中立は、外交の手段あるいは戦略としての側面が強かったといえる。

ただし、すでに述べたように、オーランド諸島については非武装が国際条約によって義務付けられている。したがって、フィンランドの一存で変更することはできない。

フィンランド以外のヨーロッパ諸国における中立について見ておきたい。スウェーデンは、19世紀のナポレオン戦争以降、第一次世界大戦、第二次世界大戦を含めて、約200年間、戦争に参加してこなかった。しかし、スウェーデンの中立は、フィンランドと同じく、法的に規定されたものではなかった。だからこそウクライナ侵略後に、NATOへの加盟申請へと舵を切り、政策を迅速に転換することが可能だったといえよう。

スウェーデンが軍事産業を発展させつつ、中立政策を採用していたという点を見逃してはならない。武器輸出も盛んだ。また、日本ではあまり知られていないが、１９６０年代頃までは、核武装について議論と研究が進められていた。

ヨーロッパでは他に、オーストリアやスイスが中立国として知られており、いずれもＮＡＴＯの加盟国ではない。両国とフィンランドとの違いは、中立について法的な基盤を有しているかどうかということである。

オーストリアでは、憲法第9a条第1項によって、永世中立の維持が規定されている。スイスでも、憲法第１７３条などに中立に関する規定が存在している。

両国については、世論の動向でも、フィンランドとの違いが見られる。フィンランドの世論調査結果については先述したが、２０２２年6月にオーストリアで実施された世論調査では、中立維持の支持が71％、ＮＡＴＯ加盟の支持が16％という結果となった。フィンランドとスウェーデンによるＮＡＴＯへの加盟申請直後に実施されたが、中立の維持を支持する声の方が、圧倒的に大きかった。

スイスにおいても、２０２２年5～6月に、世論調査が実施されたが、ＮＡＴＯへの加盟支持は27％であった。ウクライナ侵略の前後で、大きな変化はなかった。

ロシアと陸上で国境を接するフィンランドの方が、ウクライナ侵略に対する切迫感が、より強かったといえるだろう。

スイスは、NATOに加盟していないだけでなく、欧州連合（EU）の加盟国でもない。しかし、欧州連合によるロシアに対する制裁措置に同調し、プーチン大統領らの資産を凍結した。これに対してロシア外務省は、スイスは中立国としての地位を失っていると反発した。金融立国で知られるスイスが、対ロ制裁の輪に加わった意味は、小さくなかった。

なお同じ北欧でも、ノルウェーやデンマークは、第二次世界大戦中にドイツによって占領された経験から、戦後には、NATOの発足当初から加盟した。原加盟国12か国の一角を占め（**図3・4**）、集団防衛という道を選んだ。

第2章　日本人が知らないフィンランドの歴史

世界帝国の侵略を免れてきたフィンランド

フィンランドの「はじまり」とは、いったいどのようなものなのだろうか。

考古学的な観点を別にすれば、フィンランドの神話的世界が最もよく描かれているのが、『カレワラ（Kalevala）』である。この民族的叙事詩は、全50章からなる。大気の処女イルマタルの膝に産み落とされた卵が割れて、天地が創造される。そして生まれたときから老人のヴァイナモイネンを中心に、物語が展開していく。

なお編纂されたのは、19世紀のことだった。医師のエリアス・ロンルートがカレリア地方を中心に、口承詩を採取し編纂にあたった。そのため、カレリア地方がフィンランド民族文化の揺籃（ようらん）の地とみなされていくことになった。

図5　フィンランドの歴史

1世紀頃	フィンランド人の定住
11～12世紀	キリスト教が伝来、東西キリスト教の角逐
1323年	パハキナサーリ（ネーテボリ）条約締結。スウェーデン・ノヴゴロド公国（現ロシア）間の国境画定。フィンランドは、スウェーデンの一部となる
1700～21年	スウェーデンとロシアなどとの間で北方戦争
1808～09年	ロシア・スウェーデン戦争（フィンランド戦争）。スウェーデン、フィンランドをロシアへ割譲
1812年	首都をオーボからヘルシンキへ
1853～56年	クリミア戦争
1904～05年	日露戦争
1914年	第一次世界大戦勃発（～18年）
1917年	ロシア革命。フィンランドがロシアから独立、フィンランド共和国成立
1918年	1/27、内戦勃発（～5/16）
1932年	ソ連と不可侵条約締結
1939年	9/1、第二次世界大戦勃発（～45年）
1939～40年	第一次ソ連・フィンランド戦争（冬戦争）
1941～44年	第二次ソ連・フィンランド戦争（継続戦争）
1944～45年	対独戦争（ラップランド戦争）
1947年	パリ講和条約を締結し主権回復
1948年	フィンランド・ソ連友好・協力・相互援助条約締結
1955年	国際連合加盟
1991年	12/25、ゴルバチョフ大統領辞任。ソ連崩壊
1995年	EU（欧州連合）加盟
2002年	ユーロ導入
2023年	NATO（北大西洋条約機構）加盟

［外務省ウェブサイトなどをもとに編集部作成］

当時のロシア統治下で『カレワラ』が刊行され、フィンランド人の胸奥に、愛国の熱情が掻き立てられた。『カレワラ』は元来、カンテーレという竪琴の伴奏とともに、まるで平家物語のように語られる。

ここで筆者なりの視点で、フィンランドの歴史の特徴を述べてみたい。それは、ヨーロッパを席巻した世界帝国の一部とはならなかったという点だ。筆者も歴史好きの一人として、歴史地図をよく眺める。歴史上の世界帝国の地図を見るときも、最大版図がどこまで及んでいたのかはチェックするが、その外側には意識が向きにくい。見落としがちではあるが、フィンランドはローマ帝国などの世界帝国の版図には組み入れられなかった。

地中海世界を中心に成立したローマ帝国は、帝国の辺境を防護するためにリーメス(Limes)と呼ばれる長城を築いた。グレートブリテン島においては、ハドリアヌスの長城及びアントニヌスの長城が帝国の北限に築かれて、現在では世界遺産に指定されている。いずれにしても、フィンランドを含む現在の北欧には、その領域は及んでいなかった。

外部勢力であってもヨーロッパを席巻することは、歴史上の実例として存在している。例えばモンゴル帝国は、チンギス＝ハンの孫であるバトゥに率いられてヨーロッパに遠征し、キエフ公国を滅ぼした。1241年のワールシュタットの戦いにおいて、ドイツ・ポーランド連合軍を破った。モンゴル軍はロシアを支配下に置き、ポーランドまで西進したのだが、現在のフィンランドを含む北欧まで押し寄せることはなかった。

イスタンブールを首都とするオスマン帝国は、現在の東ヨーロッパ諸国を席巻した。バルカン半島からドナウ川を越えて北進し、現在のハンガリーまで手中に収め、ウィーンも2度にわたって包囲した。

筆者は、ブルガリアのソフィアを訪れたことがあるが、この首都には、ローマ帝国の遺跡に加えて、オスマン帝国の遺構が重なり合って残されている。だが、オスマン帝国もフィンランドにまで至ることはなかった。世界帝国の辺境のさらに外側に位置していたのが、フィンランドといえるだろう。

ただし、後で述べるように、フィンランドも世界帝国の地殻変動と全くの無縁だったわけではないというのだから、歴史とは面白いものである。

スウェーデン統治時代（12〜19世紀）

世界帝国の侵略からは免れてきたフィンランドだが、有史以来、フィンランドは二つの勢力から多大なる影響を受け続けてきた。それはスウェーデンとロシアである。フィンランドの歴史は、この両国との関わり合いを抜きにして語ることはできない。

フィンランドは長きにわたり、いずれかの国の一部であった。20世紀初頭の独立後も、隣国との関係が決定的に重要な要素として存在し続けてきた。

まずはスウェーデンそのものの歴史にも触れつつ、フィンランドのスウェーデン統治時代について、時間軸に沿って話を進めていきたい。ここでもポイントとなるのは、ロシアとの関係である。

フィンランドは、約600年間のスウェーデンによる支配を経験した。フィンランドがスウェーデンの実質的な統治下に入ったのは、12世紀頃からであったと言われている。

正式にスウェーデン王国に編入されたのは、1323年にスウェーデンとノヴゴロド公国（現ロシア）との間で、パハキナサーリ（ネーテボリ）条約が締結されたことによる。

条約締結の背景には、全世界的な地殻変動が影響していた。ノヴゴロドがモンゴル勃興の影響を東側から受けるようになり、西側に存在するスウェーデンとの関係安定を志向するようになっていた。

北欧では14世紀に、デンマークのマルグレーテ1世（女王）を中心として、カルマル同盟が成立した。マルグレーテがノルウェー王と結婚したように、この同君連合（二つ以上の国家が同一の君主のもとに連合すること）は、北欧の王家間での婚姻関係を基礎に成立した。その領域は、デンマークに加えて、フィンランドを含むスウェーデン、アイスランドを含むノルウェーという広大な範囲に及んだ。しかし、スウェーデンは16世紀に同盟を離脱し、ヴァーサ朝が開かれた。

17世紀にスウェーデン王グスタフ＝アドルフは、ドイツを舞台にした三十年戦争に参戦した。国王自身は戦死したものの、スウェーデンは三十年戦争の講和条約であるウェストファリア条約（１６４８年）によって、北ドイツ沿海の西ポンメルンなどの領土を獲得した。バルト海を内海とするバルト帝国が成立し、スウェーデンは最盛期を迎えた。

ところが17世紀末に、年少のカール12世がスウェーデン王となると、ロシアがすかさず動きをみせる。大帝と称されるロシアのピョートル１世は、ポーランド、デンマークと結んでスウェーデンを攻撃し、北方戦争（１７００～２１年）が勃発した。

戦況は当初スウェーデン優位で推移したが、ロシアが態勢を立て直してスウェーデンを破り、バルト海の覇者となった。ロシアは北方戦争の間に、新たに建設したペテルブルクに遷都し、バルト海への関心を深めていくこととなる。

スウェーデンによるフィンランド支配を終わらせたのは、全ヨーロッパを舞台にしたナポレオン戦争の余波が、この地にも及んだからだった。フランス皇帝ナポレオン1世は、大陸封鎖令を発出してイギリスとの通商を禁じたが、スウェーデン国王はナポレオンを嫌悪していたことから、これに加わらなかった。

一方で、ナポレオンはロシアに対して、大陸封鎖令への協力の見返りとして、フィンランドを与えることを約した。フィンランドは、フランスとロシアの間での取引材料として、利用されたといえよう。

１８０８年から翌9年にかけて起こったロシア・スウェーデン戦争ともフィンランド戦争とも呼ばれる戦争においてスウェーデンが敗北したことで、フィンランドはロシアに割譲された。

なお、スウェーデンでは、ナポレオン配下の将軍が新たに国王（カール14世）として迎えられて、現在にまで至るベルナドッテ朝が開かれた。

スウェーデン統治の多大なる影響

約６００年間という長きにわたるスウェーデン支配は、フィンランドに大きな影響を与えた。

スウェーデンにとってフィンランドは、東側すなわちロシアとの防波堤として軍事的に重要な意味を持っていた。スウェーデンからフィンランドへの入植が奨励され、フィンランド南西部沿岸への移住が進んだ。こうした歴史的経緯から、現在でも同地域は、スウェーデン語を話すフィンランド人の割合が多い。フィンランドでは、スウェーデン語がフィンランド語と並んで公用語となっている。

フィンランドにとってスウェーデンは、今でも特別な国だというのが筆者の実感である。スウェーデン大使館が大統領官邸とヘルシンキ市庁舎の間という国家の中枢に位置するなど、現在のフィンランドでもスウェーデンの存在感は大きい。

外国の例としてスウェーデンが何かと引き合いに出され、スウェーデンに追いつき追い越せという意識がある。フィンランドのノキアが、スウェーデンの携帯電話会社エリクソンに対して、世界市場におけるシェアについて圧倒していったのは、フィンランドにとってのサクセスストーリーだっただろう。

スポーツの世界では、特にライバル意識が強く表れる。アイスホッケーはその典型である。ライバルであると同時に、スウェーデンはフィンランドにとって手本ともなる存在だ。これがフィンランドにとってのスウェーデンである。

ただし、スウェーデンに対する反感が社会にあるという印象は、筆者の見聞きした限りではなかった。旧宗主国だからといって、フィンランドでスウェーデンが敵視されているわけではない。スウェーデン統治時代の影響は、フィンランド社会の基層を形作っている。

フィンランドのリッポネン元首相は、フィンランドにとって最初の歴史上の幸運は、スウェーデンの統治下に入り西洋文化圏に組み込まれたことだと述べた。加えてリッポネン元首相は、ロシア帝国に併合されたことは、民族アイデンティティの形成において、二番目の幸運であったとしている。この理由については後で述べる。

忘れてはならないのが、宗教面でのスウェーデンの影響だ。スウェーデンによる統治は、フィンランドのキリスト教化とともに進展したといっても過言ではない。

フィンランドはスウェーデンの統治下に置かれると、ほぼ同時にカトリック文化の影響下に置かれた。13世紀にはローマ教皇グレゴリウス9世が「フィンランディアは自分の保護下に入った」と述べたという。「フィンランド」という言葉自体も、この頃の文献から散見されるようになる。

16世紀の宗教改革は、ドイツのヴィッテンベルク大学で神学教授を務めたマルティン＝ルターによって、先鞭がつけられた。スウェーデン国王がプロテスタントのルター派に改宗すると、スウェーデンだけでなくフィンランドの住民も、プロテスタントに改宗した。

現在のフィンランドでも、ルター派が多数を占めている。ヘルシンキ市中心部の元老院広場の北側には、新古典主義のヘルシンキ大聖堂が建ち、首都のランドマークとなっている。ルター派の信仰は、フィンランドのロシアへの割譲後も保障された。

ルター派と並んで、フィンランドの国教の地位にあるのが、正教会に属するフィンランド正教会だ。ヘルシンキ市内には、ロシア帝国時代の1868年に建立された生神女就寝大聖堂がそびえている。生神女とは正教会における聖母マリアのことであり、生神女の永眠を記憶する正教会の大聖堂である。

だが、フィンランド正教会の信者はわずかであり、その人口割合は隣国スウェーデンとほぼ同程度に低い。一方で、フィンランドとの間で言語をはじめ文化的共通性が見られる隣国エストニアの方が正教会の信者の割合は大きく、違いが見られる。約100年間のロシア統治を経験してもなお、フィンランドにはスウェーデン時代の影響が、現在に至るまで色濃く残っているといえよう。

ただし、宗教面での変化も生じている。ルター派の割合は低下しており、代わって増加しているのが無宗教だ。

一方でスウェーデンでは、フィンランドのことは特別に意識されているわけではないという。相手をどれくらい意識しているかについては、フィンランドとスウェーデンとの間で、ギャップがあるようだ。北欧諸国の間で、お互いがお互いをどのように見ているのかは、日本からだとなかなかうかがい知れないところがある。現地でこそ、初めてわかる感覚といえよう。

19世紀にスウェーデンは、ロシアに対してフィンランドを割譲したが、スウェーデンはその後、フィンランド奪還を目指すような動きを示さなかった。コイヴィスト元大統領は、スウェーデンがロシアの敵と同盟していたら、フィンランドにとって否定的な結果となっていただろうと述べている。フィンランドを失ったことの代償として、デンマークからノルウェーを獲得したことも、関係があったかもしれない。

第二次世界大戦でフィンランドがソ連と戦った際にも、義勇兵の参加はあったものの、スウェーデンは中立の立場をとった。

「簡素さの中の美意識」という共通性

余談だが、筆者は、２０２２年夏のフィンランド滞在を終えた直後に、フィンランド人を伊勢に迎える機会に恵まれた。

訪問団は、在外研究先であったタンペレ大学の学生を中心とするグループだった。ただし学生といっても、同大学のMBAコースに所属する社会人によって、訪問団は構成されていた。団長は、フィンランド公共放送ユレ（YLE）の元トップであるカリ・ネイリモ（Kari Neilimo）氏であり、日本とのビジネスに携わるロポ夫妻も同行した。

筆者は、勤務先である皇學館大学で訪問団に対し、現下の国際情勢について英語でプレゼンテーションした。日本の外交・安全保障政策、日本とフィンランドの関係などについて多くの質問が出され、日本に対する高い関心が示された。

その時、先方のリクエストもあり、大学訪問の前に案内したのが伊勢の神宮だった。当日は台風14号の接近という中でのお伊勢参りになり、台風のない国からやってきたゲストたちは、いささか不安げな様子だった。だが、豊受大神宮（外宮）、式年遷宮記念せんぐう館、皇大神宮（内宮）と巡拝する中でも、幸いにも雨に降られず、日本文化の神髄に触れていただくことができた。

案内の中で強調したのは、筆者がフィンランドで感じた日本との共通性だ。ヘルシンキ市内に位置するルター派のテンペリアウキオ教会を訪問したが、岩肌を露出させたその造

テンペリアウキオ教会の内部（フィンランド・ヘルシンキ）［著者撮影］

りは、簡素な自然美を際立たせる設計となっている。一方で、神宮に特有の神社建築様式は、唯一神明造（ゆいいつしんめいづくり）と称されている。その特徴は簡素にして、しかも雄大な特色ある構造美である。

　こうした簡素さの中に美意識、そして宗教性を見出すところに、両国の共通点を感じていると神宮を案内する中で話した。すると訪問団の人々は、非常に興味深げに聞いてくれた（なお、同行の新田均教授と小川祐子助手には感謝の意を表したい）。

　話を戻そう。スウェーデン統治時代のフィンランドの中心は、現在の首都ヘルシンキではなく、13世紀に司教座が設置されたオーボだった。今ではトゥルクと呼ばれるこの街は、フィンランドの古都であり、日本で言えば京都になぞらえることができるだろう。

秋篠宮同妃両殿下は、令和元（２０１９）年7月のフィンランドご訪問で、ヘルシンキだけでなく、南西部のトゥルクにまで足を延ばされた。「当地の柴犬愛好家の人たちが大勢送迎に来てくれており、思わぬところで日本との繫がりのある人たちと出会うことができました」との感想を残されている。

現地では、トゥルク城とトゥルク大聖堂をご視察になられた。13世紀に建立されたトゥルク城は、現在は博物館となっている。両殿下は同城で、中世の衣装を着たガイドの案内を受けられた。

中世フィンランドの教会は、花崗岩を積み上げて屋根を架けただけのものが多い。だが、トゥルク大聖堂は、例外的にヨーロッパ風ゴシック様式に基づいて建てられている。

トゥルクは、フィンランドで2番目の規模を誇るトゥルク大学の所在地でもある。トゥルク大学は、現在のニーニスト大統領の母校である。

トゥルクは人々も気さくというのが、筆者の印象である。トゥルク城に向かって、アウラ川のほとりを歩いていたら、地元の人たちが「日本からですか」と声を掛けてくれ、「日本は技術力が高いですね。それにひきかえノキアは……」という日本に対する印象を語ってくれた。

ロシア統治時代に首都をヘルシンキに変更

フィンランドは、歴史的にスウェーデンとロシアの狭間で翻弄され、強力な隣国による支配を、それぞれ約600年間、約100年間にわたり経験した。

フィンランドは、1808年から翌9年にかけてスウェーデン・ロシア間で起こったロシア・スウェーデン戦争（フィンランド戦争）の結果として、ロシア帝国に割譲された。

日本の高校で、フィンランドの歴史について学ぶ機会は、かなり限られている。筆者の手元にある高校世界史の教科書『詳説　世界史』（山川出版社）を見てみると、この割譲についても、わずかに脚注での記載があるのみである。本書ではフィンランドの歴史について、世界全体の潮流、そして日本との関係に留意しつつ、紹介しようと試みている。

ロシアは統治の上で、フィンランドにおけるスウェーデンの影響を弱めようとした。旧宗主国の影響力を排除しつつ、ロシアの威光を広めようとの思惑があったといえよう。

そうした文脈で誕生したのが、首都としてのヘルシンキであった。

先述したように、スウェーデン時代のフィンランドの中心は、オーボ（現在のトゥルク）

だった。図2の地図を見ていただくと一目瞭然なのだが、オーボはバルト海をはさんで、スウェーデンの対岸に所在している。商業もバルト海沿岸を中心に発達していった。

そうした位置関係を嫌ったのが、ロシアだった。ヘルシンキは、人口わずか数千人の小さな町に過ぎなかった。だが、1812年にロシアの意向によって新たに首都となった。

ヘルシンキは、ロシアのサンクトペテルブルクをモデルにして都市計画が進められた。ベルリン建築アカデミー出身のドイツ人建築家カール・ルドヴィック・エンゲルが、設計にあたった。約30の主要公共建築は彼の手になるが、そのうち17は現存している。日本人が思い浮かべる純ヨーロッパ的な街並みが形づくられており、ヘルシンキには、「バルト海の白い乙女」という美称が送られている。首都が移転されるまでは、小さな港町でしかなかったヘルシンキも、現在では60万を超える人口を誇る都市に発展を遂げた。

筆者もヘルシンキ中心部を何度も訪れたが、エンゲルの建築作品が見事に配置されることで、統一感のある美しさが醸し出されている。エンゲルの主要な作品であるヘルシンキ大聖堂やヘルシンキ市庁舎などは、互いに至近距離にあり、徒歩でも十分に楽しめる。

新古典主義様式の建築群で目を引くのは、明るい色の壁だ。例えば、ヘルシンキ市庁舎の壁は水色であり、目の前のエテラ港から吹き込んでくる海風とともに、とても爽やかな

ヘルシンキ市庁舎に掲揚されているウクライナ国旗［著者撮影］

印象を残してくれる。レンガ製の壁が、スタッコ（化粧漆喰）を塗り込めることで仕上げられている。なお、筆者のフィンランド滞在中には、ヘルシンキ市庁舎にウクライナ国旗が掲揚されて、ウクライナに対する強い連帯が示されていた。

ヘルシンキ大聖堂とその下の元老院広場（セナーティントリ）は、ヘルシンキ中心部のランドマークとなっているが、広場には一体の銅像がそびえている。モデルは、ロシア皇帝アレクサンドル2世だ。ニコライ1世の後を襲い帝位についたが、一般的には、農奴解放令を発出するなど、ロシアにおける自由化を進めた人物して知られている。

同時にロシア皇帝は、フィンランド大公国

においてはフィンランド大公を兼任していた。アレクサンドル2世の治世は、フィンランドにおいても自由化の時代として知られ、より広範な自治が認められた。

クリミア戦争でフィンランドも戦場に

自治の拡大が許容された背景には、戦争の存在もあった。クリミア戦争である。1853年から、ロシアとオスマン帝国、イギリス、フランスとの間で戦われた。戦争の名称からは想像できないが、フィンランドもこの戦争の舞台となった。オスマン帝国側についたイギリスとフランスの艦隊は、オーランド諸島やヴィアポリ要塞を攻撃した。これに対してフィンランド人は応戦した。よってフィンランドでこの戦争は、オーランド戦争とも呼ばれている。オーランド諸島の戦略的重要性は、すでに述べた通りである。戦争にロシアは敗北したものの、フィンランド人の貢献ぶりを嘉（よみ）して、さらなる自治が認められるに至った。古代ギリシアにおいて、戦争への貢献と参政権が結びついていったように、古代より義務と権利は表裏一体の関係にあるが、そのことがこのフィンランドでの事例でも確認できる。

アレクサンドル2世の治世下では、フィンランドの政治を安定させるため、身分制議会が半世紀ぶりに召集された。議会では、フィンランド語をスウェーデン語と同等の地位にする言語令が可決された。

この背景には、ロシアの思惑があったといえよう。スウェーデンとの戦争を繰り返してきたロシアにとっては、統治下に組み込んだフィンランドを文化的にもスウェーデンから分離することを狙っていた。

２０２２年のロシアによるウクライナ侵略以降も、アレクサンドル2世の銅像は、引き倒されたり撤去されたりすることなく、ヘルシンキ中心部に変わらず立っている。筆者が元老院広場であるセナーティントリを訪れた際にも、人々は銅像の周りでフィンランドの夏の一日を楽しんでいた。フィンランド人はウクライナに対して、一貫して強い連帯を示している。だが銅像の取扱いからは、フィンランド人の冷静な一面も垣間見えた。

ロシアによる自由の制限

フィンランドの領域についても、ロシア統治時代に変更があった。18世紀にロシアがフィンランドから獲得したカレリア地方が、１８１２年にフィンランドの領域として返還された。後にロシアは冬戦争において、フィンランドからカレリア地方を再び奪っている。

こうした沿革は、ウクライナのクリミア半島をめぐる経緯にも重ね合わせられるだろう。ロシアあるいはソ連側から、境界を変更した上で領域を割譲しておきながら、数十年後に力によって奪い返す。フィンランドから奪ったカレリア地方も、ウクライナから奪ったクリミア半島も同じ流れだ。

ロシアあるいはソ連の側から見れば、元来自分たちのものであった土地を取り戻したにすぎないということかもしれないが、そのような道理は、国際法上、受け入れる余地はまったくない。ロシア側からの力による一方的な現状変更について、決して許されないというのが、日本政府の立場である。

なお、フィンランドは、ロシア統治時代に政治上、あるいは軍事上の自由が認められていたわけではない。ロシア皇帝が、軍事権、外交権を掌握していた。スウェーデン時代に発展した出版の自由、言論の自由は、時として制限された。フィンランドは、ロシアの当時の首都であるサンクトペテルブルクから近かったことから、フィンランド沿岸にロシア軍が駐留していた。

アレクサンドル2世の孫のニコライ2世の時代には、ロシア化政策が本格化し、フィンランドの自治は制限され、フィンランドの特別な地位は剝奪された。

エートゥ・イスト作『攻撃』（1899年）

その撤回を求めて署名運動が展開され、フィンランドの外でもフランスの作家ゾラやイギリスの哲学者スペンサーらが署名した。だがニコライ2世は、受け取りを拒否した。その後、ニコライ2世は、ロシア革命によって、ロマノフ王朝最後の皇帝となった。

芸術文化の分野においても、反ロシアの表現が興った。エートゥ・イストが描いたのが、『攻撃』（１８９９年）である。イストが描いたキャンバスでは、双頭のワシとして表現されたロシアが、白いドレスの乙女であるフィンランドから、法令全書を奪おうとしている。この絵画には、ロシアに対する強い批判が込められている。

日露戦争の影響と明石元二郎の躍動

そもそも日本とフィンランドの歴史をひもといてみると、日露戦争での日本の勝利は、フィンランドでの独立の機運を醸成したとの指摘がある。こうした考え方は、筆者自身もフィンランド現地で度々耳にした。中でも著名なのが明石元二郎陸軍大佐の活動だろう。

明石は、ヨーロッパでの経験が豊富な情報将校だった。福岡藩士の次男として生まれた明石は、ドイツでの留学を皮切りに、フランスそしてロシアで駐在武官を務め、フランス語とドイツ語を操れた。

1904年に日露戦争が勃発すると、明石はスウェーデン公使館附陸軍武官となった。ロシアから、中立国だったスウェーデンに活動の拠点を移したのだ。明石には、ロシア国内での諜報網の確立、シベリア鉄道の破壊、そしてロシア帝国内のツァーリズムに対する抵抗勢力の支援が命じられた。

スウェーデン側からは、明石に対して情報が提供されたが、これは日本が戦うロシアが、スウェーデンにとっても仮想敵だったからである。なお、ヨーロッパ人について明石は、「概シテ正直」と評価しており、そうした習性を念頭に、インテリジェンス活動を展開していたことだろう。

フィンランドについて明石は、反露活動の中心だったコンニ・シリアクス（Konni Zilliacus）と協同した。彼はアメリカにも滞在していたことから、フィンランドでのロシア化政策に反発して、反ロシア運動に身を投じた。

シリアクスは日本側から資金援助を受けていた。ストックホルムにおける両者の運命的な出会いが、日露戦争中のヨーロッパにおいての謀略活動、ロシア国内での反ツァーリ運動を方向づけていくことになる。

シリアクスは、日本での滞在経験もあり、おとぎ話の桃太郎を翻訳するなど、日本通でもあった。彼が日本に滞在したのは日清戦争の時期であり、ロシアが主導する三国干渉を目の当たりにした。日本はロシアに苦杯をなめさせられた。だが、シリアクスは、日本はいったん転んでも起き上がる柔道外交が得意であり、ロシアに必ずや一矢報いるだろうと予測して明石元二郎に接触したという。

また、シリアクスは著書の中で日本について、西欧技術を十分取り入れて工業国となったと高く評価している。

他にも明石は、フィンランド憲法党のリーダーであるヨナシュ・カストレンとも接触した。カストレンは明石に対して、ポーランド人脈を紹介した。

いわゆる「明石工作」では、日露戦争時に帝国政府の莫大な資金が使われ、ロシアに対する諜報工作が実施された。総額で１００万円が送金され、そのうち27万円が帰国時に返金されたから、73万円（現在の価値で約80億円）が費やされたことになる。これほど多額の資金が一人の武官によって使用されるのは、当時としても極めて異例だった。

例えば1904年には、機密費として10万円が陸軍から一度に支給されている。明石はヨーロッパ人について、「金銭ニ対スル義務ノ実行意外ニ厳格」と評している。この評からは、対価の支払いに見合うだけのインテリジェンスが、きちんともたらされていたものと思われる。

明石はストックホルムで、5名ほどのスパイを駆使して情報収集を行い、暗号をはじめさまざまな通信手段を利用していた。こうした諜報活動について明石は、寺内正毅（てらうちまさたけ）陸軍大臣にも、復命書を「落花流水（らっかりゅうすい）」と題して提出したという。明石の躍動は、司馬遼太郎の『坂の上の雲』などの歴史小説でも語られている。後に明石は、陸軍大将、台湾総督となり、男爵を授かった。

100年前に日本は、資金援助と武器の提供によって、フィンランドの独立を手助けした。驚くべきことは、日本ではほとんど知られていない、あるいは忘れられてしまっているこのストーリーが、フィンランド側ではよく記憶されているということだ。日本のサポートに対する感謝の念が、複数のフィンランド政府関係者から、筆者に対して示された。

日本は、フィンランド独立から約1年半後の1919年5月に、フィンランドを国家承認した。続いて同年9月には、外交関係が樹立された。

翌1920年には、日本に駐在するフィンランドの初代臨時公使として、グスタフ・ラムステットが来日した。ラムステット臨時公使は、アルタイ語を専門とする言語学者だった。外交官ではなかったが、東洋言語の専門家を任命することを通じて、独立したばかりの新しい国家として、日本を重視する姿勢を示したといえよう。

ラムステット臨時公使は、東京帝国大学（現在の東京大学）でしばしば講義を行った。民俗学者の柳田國男や国語学者の金田一京助らも、ラムステットの講義を受けたという。

また、ラムステットは、エスペラント語にも造詣が深かった。日本各地でラムステットは、フィンランドに加えてエスペラント語についても講演を行った。東京国際倶楽部で開催された日本語による講演では、聴衆の中に宮沢賢治の姿もあった。

ヘルシンキ大学ラムステット文庫には、現在でも、宮沢賢治からラムステットに贈られた詩集『春と修羅』と童話集『注文の多い料理店』があるそうだ。ラムステットの書き込みが、『注文の多い料理店』には残されているという。

独立と内戦

フィンランドは、約１００年間にわたるロシアによる支配を経験したが、歴史の大きなうねりをきっかけにして、新たなステージに進むこととなった。

フィンランドは、独立から１００年あまりという若々しい国家である。だが、独立後のフィンランドも、大国のはざまで翻弄されることとなる。その大国とは、ソ連とドイツである。

独立の機運がフィンランドにおいて高まる一方で、ロシアは混乱に陥っていた。１９１7年3月には二月革命が、11月には十月革命が勃発していた。その中で、12月6日、フィンランド臨時政府が独立を宣言した。年末にはロシアのボリシェヴィキ政権も、独立を承認した。

第一次世界大戦とロシア革命に乗じて、フィンランドは独立を果たすことができた。ロシア帝国の崩壊によってもたらされた機会をフィンランドは巧みに掴み取ったといえよう。フィンランドはここに初めて、自前の国家を持つに至った。

だが、フィンランドの新しい国家の船出は、最初から波乱に満ちたものだった。フィンランド内部では、ブルジョア政権側の白衛隊と革命を目指す赤衛隊との間で、激しい階級対立が生じていた。白衛隊が地主、都市の役人、資産家で構成されていたのに対して、赤衛隊は都市の労働者や地方の貧農で構成されていた。

独立宣言からわずか1か月後の1918年1月、内戦が勃発した。この内戦には、フィンランド周辺の大国の思惑も色濃く反映されていた。白衛隊の後ろにはドイツが、赤衛隊の後ろにはソ連がいた。赤衛隊は、二月革命勃発によって撤退するロシア軍から、武器や食糧を譲り受けていた。ペトログラード（現在のサンクトペテルブルク）からも、武器調達が可能だった。レーニンは赤衛隊に対して、1万挺のライフル銃と10門の大砲を譲渡すると約束した。

これに対して、白衛隊の総司令官に任命されたのが、フィンランドの英雄マンネルヘイムだった。白衛隊側には政府の要請によって、約1万人のバルト師団がドイツから合流した。

ドイツ軍の登場が戦局を早める結果となり、内戦は白衛隊側の勝利で終わった。ドイツで軍事訓練を受けた将校の白衛隊への加入も大きかっただろう。ドイツにとっては、ロシアを牽制する目的があったといえよう。なお白衛隊側には、スウェーデンからも義勇兵が加わった。

内戦が4か月足らずという短期間で決着したことで、フィンランドはソ連による衛星国化を免れることができた。この内戦によって得られた教訓は、社会が分断すれば外国の介入を招くという点だ。フィンランドは、第二次世界大戦期には、ソ連の侵略に対して団結して対抗し、独立を守り抜くことができた。「はじめに」で触れた議会演説でニーニスト大統領が国としてのまとまりに触れた背景には、こうしたフィンランドの歴史があった。

マンネルヘイム元帥は、後に大統領も務めたフィンランドの英雄であり、現在でも尊敬を集めている。現在に至るまで、フィンランドにおける元帥はマンネルヘイムただ一人であり、フィンランドで元帥（マルスキ）と言えば、彼のことを指す。マンネルハイムの反共信念には、イギリスのチャーチルだけでなく、スターリンまでもが敬意の念を抱いていたという。

彼の誕生日である6月4日は「国旗の日」として、フィンランド国防軍によって今でも祝われている。筆者は2023年6月に、駐日フィンランド大使館で開催されたフィンランド国防軍国旗の日レセプションに出席した。NATOに正式に加盟してから初めての開催だったが、会場にはフィンランド国旗とともにNATO旗も掲揚されており、フィンランドのNATO加盟を改めて実感することができた。

日露戦争に従軍したマンネルヘイム

マンネルヘイムは、最も偉大なフィンランド人に選ばれている（２００４年）。そんなフィンランドの国民的英雄と日本との関係についても、ここで述べておきたい。スウェーデン系の伯爵家に生まれたマンネルヘイムは、ロシア帝国の士官として日露戦争に参加していた。

フィンランドの英雄マンネルヘイム
（1867～1951年）

世界史上、ナポレオン戦争以来の大会戦となった奉天会戦で、マンネルヘイムはコサックを率いて戦い、日露戦争後には大佐へと昇進した。

日露戦争当時のマンネルヘイムによる観察は、非常に示唆的だ。満洲里（まんしゅうり）から留守宅に送った手紙には、ロシア側の惨憺たる有り様が書き連ねられ、ロシアに勝利の見込みはないと結論付けている。士気の低さ、指揮官の間での内輪揉め、ロシア政府による慢心、相手への過小評価……。こうしたマンネルヘイムによる見立てには、2022年のウクライナ侵略と通じるところが大いにある。ロシアは同じ過ちを繰り返していると言わざるをえない。

一方で、日本軍についてマンネルヘイムは高い評価を下している。戦闘技術についてはロシア軍よりも優れているとしている。東郷平八郎大将によってもたらされた日本海海戦での勝利については、素晴らしい戦果を収めたとしている。

マンネルヘイムが注目したのは、戦術面ばかりではなかった。日本の軍事的成功の背後に、国民の支援があることを見抜いていた。そして日本軍兵士の団結と犠牲的精神に感銘を受けた。

フィンランド人の団結と犠牲の覚悟は、後に冬戦争（1939年）を通じて示された。そしてマンネルヘイムは日露戦争を通じて、軍人にとって何よりも重要である実戦経験を手にした。ここで獲得した経験値は、後にフィンランドの国難を打開する際に役立てられたことであろう。

また、マンネルヘイムは、日露戦争後、1906年から1908年にかけてアジアを横断している。表向きは学術調査であったが、その実はロシア軍から情報収集を命じられ、新疆から北京を旅している。ちなみに筆者も外務省に勤務していた頃に、新疆ウイグルを私的に旅行したことがある。

彼は、１９０８年に当時の清朝の山西省五台山で、亡命中のダライラマ13世と面会している。チベット仏教のトップとの会見について、マンネルヘイムは、「彼の中国に対する愛や中国の宗主権はほんのわずかなものである」「彼は観念して中国政府が望むような役割を果たすような男には見えなかった。むしろ、政敵を煙に巻く好機を待っているようにも見えた」と述べている。こうした人物評は、特に中国との関係という点で、現在のダライラマ14世とも通じるところがあるだろう。

マンネルヘイムは、北京滞在の後、日本にも立ち寄っている。８日間の日本滞在で、長崎から舞鶴までを旅した。日本については回顧録の中で、中国人に勝る近代化に成功したアジアの国民がいるとは興味深い限りであると述べている。

マンネルヘイムは、日本に寄った後、ウラジオストクを経由してサンクトペテルブルクへ帰国した。

なお、マンネルヘイムのおじにあたるアドルフ・エーリク・ノルデンショルドも、日本を訪問していた。探検家として北極海を経由する北東航路を初めて走破した人物であり、

図６　独立当初のフィンランドの国土

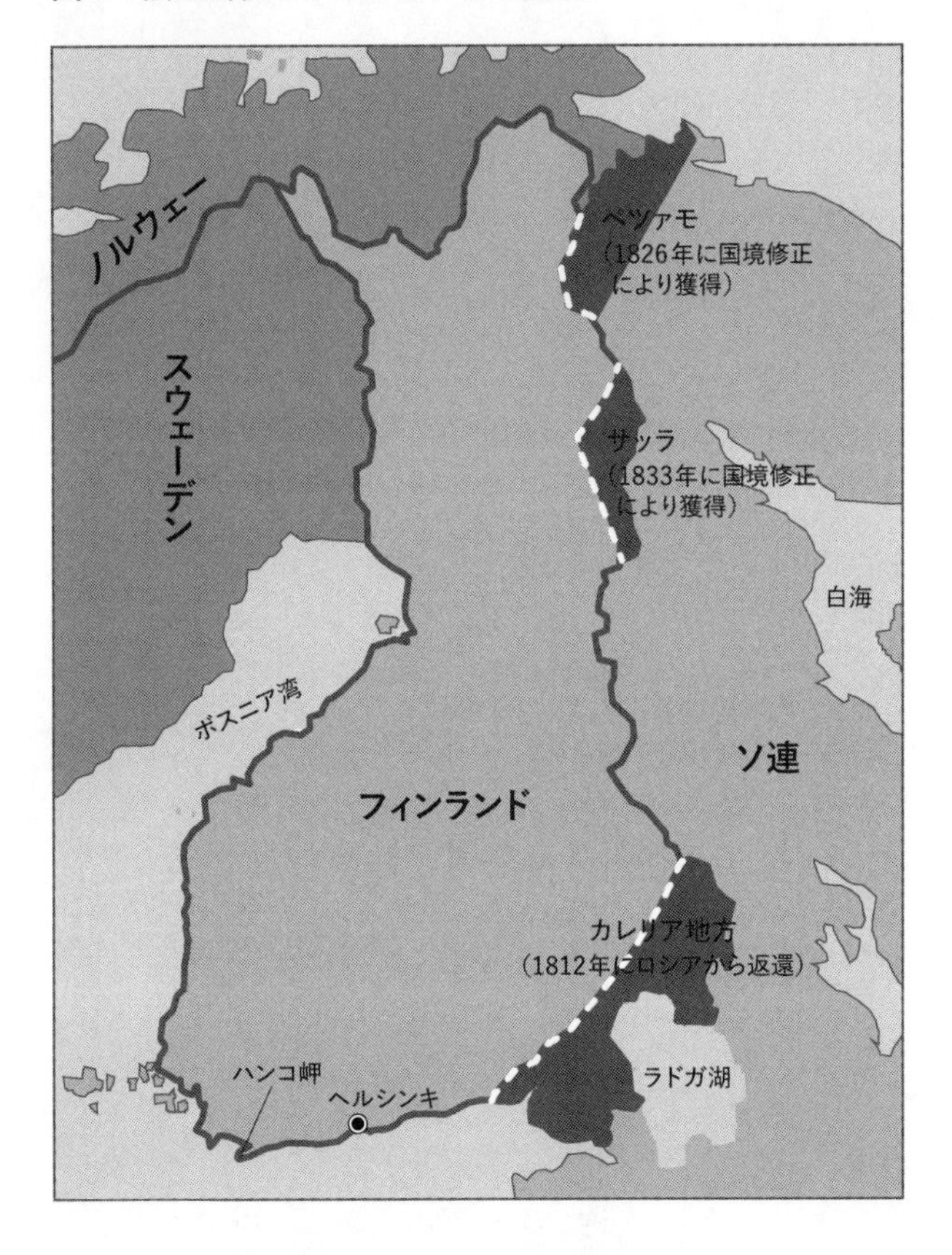

1879（明治12）年9月から約2か月にわたる訪日中には、明治天皇に拝謁している。

独ソ不可侵条約におけるフィンランドの扱い

独立当初のフィンランドの地図（**図6**）、そして現在のそれ（**図2**）を見比べてみると、独立当初の方が、フィンランドは領土が大きかったことがわかる。フィンランドでは、国土の形がしばしば擬人化されており、このキャラクターはスオミネイト（Suomi-neito）と呼ばれている。独立当初のスオミネイトは、高らかと両手を挙げている。しかし、現在のスオミネイトは、片方の手をまるで失ったかのようになっている。

なぜ、フィンランドの領土が、一部とはいえ失われてしまったのかというと、第二次世界大戦中のソ連との戦争のためであった。

第二次世界大戦の前夜、ソ連はドイツを念頭に置いて、フィンランドに狙いを定めていた。独ソ関係について考えてみると、イデオロギー面で共産主義のソ連とヒトラー率いるナチス・ドイツは対立しており、ドイツにとってソ連は防共協定の対象だった。

一方で、力の論理に基づいて両国の関係調整も図られ、1939年8月には独ソ不可侵条約が結ばれた。同条約の秘密議定書には、両国の思惑が露骨に表れていた。両国の勢力圏について定められ、ソ連にはポーランドの一部、バルト三国、そしてフィンランドが、議定書上では割り当てられた。

だが、この条約締結によって、独ソ関係が好転したわけでも、両者の間に信頼関係が築かれたわけでもなかった。ヒトラーはソ連に対して強い嫌悪感を抱いており、ソ連にとってドイツは依然として脅威であった。

そこで重要となるのが、フィンランドだった。

ソ連は、フィンランド領土からのドイツの攻撃を警戒していた。レニングラード（現在のサンクトペテルブルク）は、フィンランドから至近距離に位置している。だからこそソ連は、独ソ不可侵条約秘密議定書において、フィンランドについて自国側に組み入れたのだった。

ソ連は早い段階から、フィンランドに対して揺さぶりをかけていた。ソ連はフィンランドに対して、領土の交換を要求した。ソ連が求めたのは、カレリア地峡の国境線の北方への後退、ハンコ岬のソ連軍基地としての30年間の租借、ペツァモの割譲などであった。

これらの地は、いずれも戦略的要衝だった。1918年のフィンランド内戦の際には、ドイツ軍はハンコ半島から上陸した。ペツァモは北極海への出口である。スターリンは、カレリア地峡の国境線がレニングラードから近過ぎる、そしてフィンランド湾を防衛するためにはハンコ岬が絶対に必要だと主張したという。モロトフ外務人民委員も、ハンコの必要性を力説したという。

他国の領土であるにもかかわらず、自国の都合から見て必要だとするその傍若無人ぶりは、ロシアのプーチン大統領のウクライナに対する態度と通じるところがあろう。

フィンランドは、主権にもとるとしてソ連の要求を突っぱね、交渉は決裂した。フィンランド代表団との別れ際に、スターリンは「さようなら」、モロトフは「ごきげんよう」と言ったという。

フィンランド政府には、要求を一度呑むと、ソ連からさらなる要求を突き付けられるという考えがあった。フィンランド国内では、毅然たる態度がソ連の膨張主義をくじいたととらえられた。当時のフィンランドでは、独立以前のロシア化政策が想起されたこともあり、国民の圧倒的な支持が、政府に対して寄せられた。

これは、日本が外交に臨む上で、参考にすべき考え方であろう。権威主義国家との交渉に臨む際には、政府が国民の支持を得ていることが、極めて重要である。

ただし、交渉決裂から約半月後には、ソ連がフィンランドに襲い掛かったように、交渉が不調に終われば戦争に至るという可能性についても、十分に認識しておく必要がある。

ヘルシンキにのこる杉原千畝の足跡

第二次世界大戦前夜には、後に有名となる日本の外交官が、フィンランドに駐在していた。ユダヤ人に対して命のビザを発給したことで知られ、「東洋のシンドラー」とも称された杉原千畝(すぎはらちうね)だ。

杉原のヘルシンキ勤務は、瓢箪から駒が出て実現したものだった。というのも杉原は元々、在ソ連大使館での勤務を命じられており、モスクワに赴くはずだったのだ。だが、ソ連側は杉原に対するビザ発給を拒否し、赴任は実現しなかった。大使といった在外公館のトップではなく、一館員に対してペルソナ・ノン・グラータ(好ましからざる人物)を発動して、入国を阻むのは、極めて異例のことだった。

裏を返せば、ソ連がそれだけ杉原を恐れたということが言えるだろう。モスクワが嫌ったのは、杉原のインテリジェンス・オフィサーとしての顔である。杉原は満洲での経験が豊富だったが、同時にロシア語に堪能であり、ロシア情勢に通じていた。加えて、反ソ連的な傾向を持つ白系ロシア人との人脈も有していた。杉原の最初の夫人も白系ロシア人であった。

これらの要素が重なって、ソ連は杉原にビザを発給しなかったものと思われる。任国からのペルソナ・ノン・グラータの発動は、外交官にとって、ある種の勲章ともいえる。

代わって杉原に用意された外交舞台が、フィンランドだった。ソ連の隣国であるフィンランドは、ソ連関連の情報を収集するには、うってつけの場所だった。

杉原はヘルシンキにおいて、自動車の運転をマスターした。遊びのためではなく仕事のためだったようだ。家族とのドライブを装って、情報収集活動を行っていたという。

なお、杉原はフィンランドで、偉大な音楽家と会う機会に恵まれた。ヤン・シベリウスから、サイン入りのポートレートと交響詩「フィンランディア」のレコードを贈られたのだ。

シベリウスは、最初は法律家を目指したが、途中から音楽の道に転向した。愛国的な「フィンランディア」は、ロシア統治時代に演奏が禁止されたが、曲名を変えて奏でられて、人々の愛国的な感情をたかぶらせた。今では第二の国歌として親しまれ、12月6日の独立記念日で演奏されるのが定番となっている。彼の音楽は自然を想起させ、雄大なシンフォニーとして、聴衆を魅了している。

ヘルシンキの次に杉原が向かったのが、バルト三国の一国、リトアニアのカウナスだった。この杉原の赴任は、ノモンハン事件のタイミングと重なっており、ソ連情勢の把握がより一層重要となった時期だった。このカウナスの領事館で、杉原は副領事としてポーランドなどから逃れてきたユダヤ人に対して、「命のビザ」を発給することとなる。

旧在カウナス日本領事館は、現在では杉原記念館として一般公開されている。筆者が訪れた際には、日本語が堪能なリトアニアの方が応対してくださったが、建物は大切に保存されている。杉原がビザを発給した建物では、当時の様子を偲ぶことができた。筆者も、外務省の後輩として誇りに思います、と記帳した。映画『杉原千畝 スギハラチウネ』で主演を務めた俳優の唐沢寿明氏も記念館を訪れている。

杉原記念館にある杉原千畝の執務机（複製）［著者撮影］

２００７（平成19）年5月に、リト

アニアをご訪問になった天皇皇后両陛下は、杉原千畝記念碑にお立ち寄りになっている。リトアニア大統領は午餐会で、杉原について、人道的な功績を残し、リトアニア国民の尊敬を集めていると称えた。

冬戦争（第一次ソ連・フィンランド戦争）

１９３９年9月1日、ドイツがポーランドに侵攻して第二次世界大戦が勃発した。その16日後には、ソ連も東からポーランドに侵攻、10月にポーランドは独ソ両国によって分割占領された。

ソ連は１９３２年にフィンランドと結んだ不可侵条約を破棄し、翌11月、フィンランドに侵略を開始した。フィンランドとソ連の間では、第二次世界大戦中に、２度にわたって戦争が行われた。１９３９年11月から１９４０年３月までの冬戦争（第一次ソ連・フィンランド戦争）、そして１９４１年６月から１９４４年９月までの継続戦争（第二次ソ連・フィンランド戦争）である。

ロシアあるいはソ連という国家が、どのように侵略戦争を始めるのかという例として、冬戦争の始まりを見てみたい。

1939年11月26日、モロトフ外務人民委員は、駐ソ連フィンランド公使を呼び出した。カレリア国境付近で、ソ連軍がフィンランド側から砲撃を受けたと一方的に主張したのだ。開戦責任をフィンランド側に転嫁することが狙いだったといえよう。

2日後の28日、ソ連は一方的にソ連・フィンランド不可侵条約を破棄し、30日にはヘルシンキやヴィープリ（現在はロシア領のヴィボルグ）など主要都市すべてを空爆した。ソ連軍はフィン・ソ国境の北部、中部、南部から雪崩のように侵入した。

フィンランド側では、戦時内閣が成立し、マンネルヘイムが総司令官に任命された。内戦で白衛隊を勝利に導いた老元帥は、齢72歳となっていたが、フィンランド全軍の指揮を執った。

フィンランドはソ連を国際連盟に提訴し、連盟理事会は12月10日、ソ連を連盟からの除名処分とした。

ソ連による一方的な不可侵条約の破棄、そしてその直後に侵攻という流れ。これは第二次世界大戦末期のソ連による不当な対日参戦と極めて類似している。

冬戦争を始める前にソ連は、フィンランドを1か月以内に占領する計画を立てていた。しかし、短期間でフィンランドを制圧するというソ連側の目論見は、結局のところ失敗に終わった。もたつくソ連軍は、1940年2月に60万人にのぼる増派を決定した。短期占領の失敗と泥縄的な追加動員。これも我々がウクライナで目にしたロシアの醜態と似通っている。

それではなぜ、ソ連は冬戦争で所期の成果を上げられなかったのだろうか。こうした検討は、現在のウクライナ侵略に対しても、示唆的である。

フィンランド側の抵抗が、ソ連の事前の予想を上回る強さだったことが、まずは挙げられる。森の中を自在に動くスキー部隊は、ソ連軍を奇襲した。中でも、伝説的なスナイパーであるシモ・ヘイヘ（ハユハ）は、542人を射殺し、ソ連軍から「白い死神」と恐れられた。他にもフィンランド軍は、モロトフ・カクテルと呼ばれた火炎瓶で、ソ連の戦車部隊に応じた。

ロシアあるいはソ連による相手国の過小評価は、現在のウクライナ侵略と通じるところがある。スターリンがフィンランドをわずかな期間で手中に収めることができると考えたように、プーチンもウクライナを短い日数で陥れることができると踏んだ。どちらの独裁者も、中小国を舐めてかかったところ、手痛いしっぺ返しをくらったということだ。

ソ連が冬戦争で失敗した原因としては他に、戦場における地理や気象状況について、綿密に把握していなかったことも挙げられる。冬用の装備が十分ではなく、積雪下での戦闘経験もソ連側は乏しかった。ソ連側は戦闘による死亡よりも、凍死の方が多かった。フィンランド兵の間では、竹でできた日本製のスキーのストックも使用されたという。

冬戦争の驚異に対して、国際社会は驚嘆し、賞賛した。フィンランド軍の善戦は、国際世論にも影響を与えた。当初は冷淡だったイギリス、フランスも、フィンランドへの部隊派遣の検討を開始した。

ソ連としても、イギリス、フランスとの戦争への拡大、そして戦争の長期化は避けたいところだった。和平交渉が開始され、1940年3月にモスクワで講和条約が結ばれて、冬戦争は終結した。戦争が続いた期間から、この戦争は百日戦争とも称される。

他国からの十分な援助もない中で、フィンランドはソ連とほぼ独力で戦った。そうした厳しい環境下で、辛うじてではあるが独立を維持した点に、筆者としては敬意を表したい。フィンランドは、なんとか亡国を免れた。

冬戦争でのフィンランドの戦いぶりは、現在のウクライナの勇姿と重なるところがある。1か月以内に占領という甘い見通しの下に、フィンランドに侵入したソ連に対して、決して諦めないフィンランドの国民性「シス」（フィンランド魂という意味）が発揮され、フィンランドは善戦することができた。

しかし、独立を維持するためにフィンランドの払った犠牲は極めて甚大であり、フィンランド国民は半旗を掲げてこの悲報を聞いたという。冬戦争前の国土のうち、約10％が失われた。フィンランドとレニングラードの間に位置するカレリア地方が、ソ連に割譲された。スターリンが開戦前の交渉でこだわりを示したように、レニングラードからの近接性が、重要なポイントであった。割譲地には、工業都市ヴィープリが含まれていたことから、フィンランドは経済的な打撃も蒙った。

加えて、北東部ペツァモがソ連に割譲され、開戦前の交渉で拒否したハンコ岬についても、ソ連への30年間の貸与が約された。42万人もの人々が、故郷を追われて国内難民となり、社会は混乱した。

国土の要衝を失うなど多くの犠牲が払われた冬戦争だったが、別の見方をすれば、フィンランドが一つにまとまる機会となったともいえる。独立直後の内戦は、フィンランド社会に大きな分断を残す結果となってしまった。同じ国の中での殺し合いは、洋の東西を問わず、凄惨を極めるものだ。だが、ソ連という巨大な敵と対峙することを迫られたとき、小異を捨てて大同につくこととなり、国家統合が促進された。悲しい冬戦争の副産物である。

ところで、スウェーデンは、冬戦争にどのように向き合ったのだろうか。冬戦争が勃発すると、スウェーデン世論は、フィンランドに対して強い連帯を示した。

一方でスウェーデン政府は、ソ連との関係悪化を懸念し、非交戦国という立場を選択した。スウェーデン正規軍は派遣されなかったものの、外国からの唯一の援軍として、義勇兵がスウェーデンからフィンランドに向かった。

なお、冬戦争期にソ連はカレリア地方に傀儡政権を樹立して、この政権こそが正統政府だと一方的に主張した。フィンランド人民政府、フィンランド民主共和国とそれぞれ称され、ソ連との間で、相互援助条約が結ばれた。

ロシアは、ウクライナ東部の占領地域で同様の手法を用いて、2022年9月には一方的に併合を宣言した。傀儡政権の樹立は、ソ連あるいはロシアの常套手段といえよう。

継続戦争（第二次ソ連・フィンランド戦争）

だが、冬戦争が終わっても、フィンランドは一息つくことができなかった。それどころか、フィンランドをめぐる状況は、ソ連及びドイツの動きによって、さらに緊迫の度を増していった。

ソ連は、フィンランドから戦略上の要衝を奪っただけでは満足せず、ソ連軍の国内通過権などを次々に要求した。フィンランド国内では、ソ連の公然たる支持の下、ソ連との友好を求める運動が起こった。

一方、ドイツは１９４０年４月から６月にかけて、ノルウェーとデンマークという北欧２か国を相次いで占領した。スウェーデンは占領を免れて中立を保てたものの、ドイツ軍の領内通過を認めざるをえなかった。フィンランドは、ドイツ軍によるフィンランド領内の通過は、ソ連の脅威を緩和すると考えた。

１９４１年６月22日、ドイツはソ連侵攻を開始し、ここに独ソ戦が始まった。ソ連がフィンランドをも爆撃したことで、フィンランドはソ連に宣戦布告した。この戦争をフィンランドは、「継続戦争」と呼称した。独ソ戦とは関係がなく、冬戦争からの継続である、すなわちソ連の侵略戦争から自国を防衛するための戦いだという主張だった。

だが、実際にはドイツとの関係は緊密だった。１９４２年６月４日には、マンネルヘイム元帥の75歳の誕生日にあわせて、ヒトラーがフィンランドを電撃訪問している。

フィンランドはこの継続戦争において、冬戦争でソ連に奪われた地を奪還する動きに出た。1941年8月には、カレリア地方の中心であるヴィープリを占領した。9月には、冬戦争で失った領土すべての奪還に成功している。

継続戦争を描いたフィンランド映画がある。フィンランド独立100周年を記念して公開された『アンノウン・ソルジャー　英雄なき戦場（The Unknown Soldier）』（2017年）だ。国際的にも話題となったこの映画は、カレリアでの戦いに身を投じた兵士たちの生きざまを描き出している。

だが、1943年2月に、スターリングラードの戦いでドイツが大敗を喫すると、フィンランドは戦争からの離脱を模索した。戦争終結の任務を担ったのは、新たに大統領の職に就いたマンネルヘイムだった。内戦、冬戦争に続いて、困った時のマンネルヘイム頼みだ。

フィンランドは、1944年9月にソ連と休戦協定を結び、継続戦争は終わりを迎えた。

ドイツとのラップランド戦争

さて、ソ連との休戦協定の中で、フィンランドにとって重荷となった内容が、ドイツ軍のフィンランド領内からの追放だった。フィンランドは、ドイツと手切れをするために宿題を背負い込んだ格好となった。

ドイツ軍撤退に伴う、フィンランドとドイツ軍との戦闘をラップランド戦争という。ドイツ軍がラップランドに駐留していたのは、この地からソ連に進撃するためだった。ラップランド戦争で、ドイツ軍は焦土作戦を採用し、中心都市であるロヴァニエミの街は、ドイツ軍によって徹底的に破壊された。

ロヴァニエミは、第二次世界大戦後、フィンランドを代表する建築家アルヴァ・アアルトの設計に基づいて、新しく生まれ変わった。アアルトは、ユーロ導入以前には50マルッカ紙幣の肖像に採用されていた。

ロヴァニエミ市内には、博物館や図書館など、アアルトの作品が多く残されている。ロヴァニエミは、ラップランド地方の中心都市とはいえ、コンパクトなサイズの街なので、筆者も歩きながらアアルトの建築作品を見て回ることができた。フィンランドの近代建築の質の高さは、世界的に注目されている。アアルト作品は、北欧モダニズムという語によっても評価されている。なお、アアルトは、建築設計だけではなく、食器や家具の設計も手掛けた。

ガラス張りの建築のアルクティクム博物館には、同地の歴史に関する紹介の一環として、ラップランド戦争についてのジオラマ模型も展示されていた。

第二次世界大戦の敗戦国となったフィンランド

フィンランドは、ソ連への対抗の必要性から、ナチス・ドイツに接近して軍事協定を締結したため、第二次世界大戦の敗戦国となった。

第二次世界大戦後には、パリ講和条約が1947年に結ばれた。ソ連を含む連合国10か国とフィンランドとの間での条約によって、冬戦争の休戦協定が基本的に確認され、対ソ戦の結果が確定するに至った。フィンランドに対しては、条約によって軍備制限が課され、原子力兵器、ミサイル兵器、潜水艦の保有が禁じられた。

ここでも日本との比較を試みたい。日本と連合国48か国との間では1951年にサンフランシスコ講和条約が結ばれた。この条約は、フィンランドを対象にしたパリ条約と違って、賠償金と軍備制限が盛り込まれていないことが大きな特徴だろう。

軍備制限については、フィンランドの他にも、例えばイタリアと連合国との間で結ばれた講和条約にも盛り込まれている。

したがって、サンフランシスコ講和条約の中に、軍備制限に関する条項が存在しないことは、特筆に値する。サンフランシスコ講和会議直前に、日本の外務省によって発表された「日本国との平和条約草案の解説」でも、この点が強調されていた。

この背景には、東アジア地域では、冷戦が熱戦（朝鮮戦争）に転化し、安全保障環境が悪化していたことが挙げられる。加えて、第一次世界大戦後のドイツに対して、過度な軍備制限を課したことが、かえってナチスの台頭を誘発したという反省もあっただろう。

一方で、日本国憲法には第9条、とりわけ第9条第2項があり、戦力の不保持が定められている。ただし、戦後の日本の平和が保たれたのは、憲法9条によってではない。それどころか憲法9条は、急速に悪化する安全保障環境に対応するために、日本が防衛力を適切に整備する上で、大きな足かせとなっている。

だが同時に、憲法とはそもそも、国内における最高法規性が認められるとしても、各国の国内法の一形式に過ぎないということを指摘しておきたい。

仮に、条約によって、日本に対する軍備制限が課されているとすると、軍備制限の撤廃を試みるならば、条約の改正が必要になる。そして条約改正のためには、軍備制限を課している条約の締約国との間で、交渉を実施しなければならない。要するに、自国の意思だけでは、軍備制限を撤廃できないということだ。

翻って、憲法の改正には、他国の同意は必要ない。独立した主権国家であるならば、当然のことである。したがって一般的には、条約で軍備制限が課されているよりも、憲法によって規定されている場合の方が、撤廃するのは容易なはずである。言ってしまえば、憲法改正とは、自分たちとしてやるかどうかに尽きる。9条をはじめとして憲法を改正するかどうかは、他国が決めることではない。我が国自身の問題である。

さて、パリ講和条約の翌1948年には、スターリンがフィンランドに条約交渉を提案した。フィンランド側は、冬戦争の開戦前の交渉とは違って、正面からの拒否は避けた。両国間では、フィンランド・ソ連友好・協力・相互援助条約（FCMA条約）が結ばれた。これによって、戦後のフィンランドの外交及び安全保障政策の基本的な方向が規定されていった。

この条約の前文には、フィンランド側の要望によって、「大国間の利害紛争の圏外に立ちたいとのフィンランドの願望」を考慮すると書き込まれた。これによってフィンランドは、ソ連の衛星国となることを免れつつ、中立政策を採っていくこととなる。

ソ連は東欧諸国への影響力を固めるために、東側に属する国々との間で相互援助条約を結んでいったが、フィンランドとソ連間の条約とは大きく異なっていた。

「フィンランド化」で中立国として生きる道を選択

フィンランドは、ソ連による侵略という歴史から、冷戦期には東西両陣営間でバランスを保つ中立を選択せざるを得なかった。第二次世界大戦後の1947年、マーシャル米国務長官によって、ヨーロッパ復興のための援助計画（マーシャル・プラン）が表明された。だが、フィンランドは、ソ連の反対によって受け入れることができなかった。一方でスウェーデンなど他の北欧諸国は、マーシャル・プランに参加した。

かといってフィンランドは、ソ連からの要求を丸呑みしていたわけではなかった。東側の軍事組織であるワルシャワ条約機構に組み込まれそうになったが、加盟を回避している。

そんなフィンランドだったが、1952年には、夏季オリンピックがヘルシンキで開催され、敗戦からのよみがえりを象徴するものとして歓迎された。ヘルシンキでは元々、1940年に、東京に代わってオリンピックが開催される予定だったが、第二次世界大戦によって中止となっていた。1952年には、ソ連に対する賠償も完了し、フィンランドにとって記念すべき年となった。

1955年には、フィン・ソ友好・協力・相互援助条約が延長された。この延長と引き換えに、ソ連はフィンランドに対して、ポルッカ海軍基地を返還した。背景には、同基地の重要性が以前に比べると薄れていたこと、そして平和攻勢によってアメリカに海外基地放棄を促そうとしたことがあるだろう。加えてソ連が念頭に置いていたのは、1956年のフィンランド大統領選挙だった。フィンランドによる対ソ友好路線を継続させるための措置だったといえよう。

冷戦期のフィンランド政治を代表する人物が、サウナ外交を活用したウルホ・ケッコネンだ。ケッコネンは大統領を4期26年務め、フルシチョフとの友好関係をもとに、親ソ路線を採用した。

西側では、ケッコネンの路線は、「フィンランド化」という言葉で揶揄され、ソ連に従属せざるをえない小国の悲哀が語られた。同じ北欧でも、ノルウェーの高官は、フィンランド政府はソ連のパペットだと言ってはばからなかったという。

日本でも当時の中曽根康弘総理が、1984年に、「日本も防衛努力をおこたると、フィンランドのようにソ連にお情けを乞う国になる」と、フィンランド化に言及した。この中曽根発言が典型であるように、「フィンランド化」という言葉は、マイナスのイメージがつきまとっていた。

日本における一般的なフィンランドに対する認識は、残念ながら、このあたりから更新されていないようだ。だからこそ、フィンランドによるNATOへの加盟申請について、日本では驚きが広がったのだろう。

否定的な意味での「フィンランド化」という言葉が、西側では人口に膾炙(かいしゃ)した。一方で、「フィンランド化」は、1300キロを超える陸上国境でソ連と隣接するフィンランドにとっては、東側陣営に組み込まれることを回避するためのやむをえない選択だった。ソ連による侵略という歴史から、冷戦期には東西両陣営間でバランスを保つ中立を選択せざるを得なかった。

「われらは、ここに生きる」、これは、ケッコネンが出版した論文集のタイトルである。フィンランドを取り巻く国際的な環境、とりわけソ連あるいはロシアという隣人は、変えることはできない。

ケッコネンの言葉からは、そうした地政学的なリアリティについて、ありのままに受け入れようという姿勢が読み取れる。その上で、「フィンランド化」といういわば方便によって、独立を維持しようというフィンランドのしたたかな一面が垣間見える。結果的に、東側陣営に組み込まれることも回避できた。

「フィンランド化」が方便だったからこそ、フィンランドでは、冷戦期においても自由民主主義体制が維持され、共産主義への共感やロシアへの文化的親近感は広がらなかった。

冷戦期のフィンランドは、西側との軍事協力は限定的であり、冷戦末期まで大きな変化はなかった。他方で冷戦期のスウェーデンは、中立を掲げつつも、NATO諸国との協力を非公式に進めていた。ノルウェーやデンマークと協力し、有事におけるアメリカ軍やNATOの受け入れを想定していたという。

ソ連崩壊後にEUに加盟

1991年12月25日、ソ連のゴルバチョフ大統領が辞任し、ソ連が崩壊した。フィン・ソ友好・協力・相互援助条約が失効となった。代わってフィンランドとロシアとの間では、友好条約が結ばれたが、一切の軍事条項を含まない点が、フィン・ソ条約との違いだった。

ソ連崩壊後のフィンランドは一転して、西欧の一員としての歩みを着実に進めてきた。欧州連合(EU)との関係では、1994年10月に、EU加盟に関する国民投票が実施された。賛成が57%、反対が43%という結果で、国民投票を通じて世論の賛同が確保された。

大卒や企業管理職、企業家の賛成が多かったのに対して、地方居住者、高齢者、農業従事者の反対が多かった。農民党を前身とするフィンランド中央党は、農業保護の観点から反対だった。

翌1995年1月には、冷戦が終結してから初めてのEU拡大で、EU加盟国となった。フィンランドは、旧共産圏の東欧諸国とではなくて、スウェーデンやオーストリアとの同時加盟にこだわった。西側の色を濃くしたいという意欲の表れだった。

冷戦期にはソ連との関係で、フィンランドは西側との関係について慎重な姿勢を度々示していた。欧州経済共同体（EEC）には加盟せず、その後身である欧州共同体（EC）とも距離を置いた。欧州自由貿易連合（EFTA）にすら長く準加盟にとどまったことと比較すると、冷戦後のEU加盟は大きな転換だった。

ソ連の崩壊は、フィンランド経済に大きな影響を及ぼした。ソ連はフィンランドにとって重要な貿易相手だったからだ。フィンランド経済は戦後最悪の不況に陥って倒産が激増し、失業率は20%に達した。フィンランドの通貨マルッカがスウェーデンの通貨クローナとともに投機の対象となり、事実上、切り下げを強いられた。フィンランドのヨーロッパ接近は、経済面でも必要な政策だったといえよう。

通貨制度についても、フィンランドはヨーロッパと歩調を合わせていった。スウェーデン、デンマーク、ノルウェー、アイスランドの北欧諸国は、いずれもクローナあるいはクローネという独自の通貨をそれぞれ維持しているが、フィンランドは欧州単一通貨ユーロを2002年の流通開始と同時に導入し、現在でも北欧で唯一のユーロ採用国である。フィンランドがいかにヨーロッパの一員というステータスを大切にしているかが、通貨政策からもよくわかるだろう。

第3章　フィンランドに学ぶ国防

北欧には日本の大手新聞の支局がない

第1章で述べたフィンランドによるNATOへの加盟申請のプロセスをはじめ、フィンランドの軍事、防衛、安全保障に関して、日本ではほとんど知られていないのが実情だ。

原因の一つには、日本の大手メディアの報道体制がある。日経新聞を例にしてみると、ヨーロッパでは、ロンドン、パリ、ブリュッセル、ベルリン、フランクフルト、ウィーン、ジュネーブに海外拠点が構えられている。フランクフルトには欧州中央銀行（ECB）の本部が所在しており、金融政策もカバーする日経新聞ならではの支局だろう。

だが、ヘルシンキをはじめ北欧には、支局が存在していない。これは日経新聞が特殊なわけではない。朝日新聞、毎日新聞、読売新聞、産経新聞の大手新聞、あるいは共同通信、時事通信という通信社の支局配置を見てみると、読売新聞と共同通信がローマ支局を置くなど若干の違いはあるものの、ほとんどの支局は重なり合って存在している。共同通信のネットワークには特色があり、ベオグラード支局（セルビア）があるほか、ストックホルムには通信員がいる。だが支局ということでは、北欧についてはいずれの新聞、通信社も設けていない。

したがって、北欧のニュースは基本的には、他の支局からカバーすることとなる。そして必然的に取材量、そしてそれに基づく報道量は、支局のある国やエリアと比較すると、少なくならざるをえない。

フィンランドの軍事、安全保障についての日本での報道が少ないのは、以上のような日本メディアの支局ネットワークの配置にも理由がある。

大手メディアとしては、他社との横並びを重視しつつ、海外支局の配置を決めているということだろう。だが、メディアのあり方も大きく変わろうとしている、あるいは変わらざるをえない環境に急速になりつつある。そうした中で、それぞれの社が海外報道のエリア上の特色をもっと出してみても、読者にとってはおもしろいのではないだろうか。

北欧に支局を構えて、フィンランドを含むこの地域の激変する安全保障環境についてスポットライトを当てる社が現れることを期待したい。

北欧スタイルとは異なる大統領官邸

２０２２年夏、筆者はフィンランド大統領府の高官と意見を交わすために、大統領官邸を複数回にわたり訪問した。ここは、２０１８年７月にはトランプ大統領とプーチン大統領が米露首脳会談を開催するなど、数々の歴史の舞台となっている。

第２章でも紹介したドイツ人建築家エンゲルによって改築された建物は、とても印象的なたたずまいだ。ヘルシンキ市中心部に残るエンゲル設計の他の建物がそうであるように、大統領官邸も明るい色の壁が特徴的である。クリーム色の外壁は目にも鮮やかである。

大統領官邸という名称とは裏腹に、その立地は観光客でにぎわうマーケット広場(Kauppatori)の目の前である。正面こそ黒い柵があり、衛兵によって守られている。だが、東向きの側面は、外に衛兵がいないどころか柵すらなく、誰でも簡単に入口までたどり着くことができる。無防備と言えば、これほど無防備なことはないだろう。これがフィンランド式ということか。筆者も毎回この入口から、大統領官邸に入邸した。

大統領官邸の内部は、基本的には一般公開されていないが、家具や装飾で見事に調(ととの)えられていた。そのトーンは、フィンランドあるいは北欧スタイルというよりも、典型的なヨーロッパのスタイルであるというのが筆者の感想だ。簡素というよりも豪奢という風格だった。

日本では、フィンランドあるいはフィンランドスタイルと言えば、とかく簡素さやシンプルさが強調されがちである。デザインの世界では、シンプルな意匠が特徴の北欧デザインは、1950年代から世界で流行した。

だが、筆者が実際に訪れた大統領官邸の内部は、趣を異にしていた。ヨーロッパの一員でありたいと願ってきたフィンランドにとって、典型的なヨーロッパ風の調度品を用いて国家の中枢を飾ることは、自然な選択なのかもしれない。

筆者が大統領府高官と面会した部屋には、夏の陽射しが差し込んでいた。瀟洒（しょうしゃ）な窓からは、エテラ港を行き交う船が見え、マーケット広場に集う観光客の姿も見える。

そんなのどかな光景とは打って変わって、目の前の政府高官との間では、国際情勢に関する濃密な会話が交わされていた。日本の外交・安全保障政策やインド太平洋情勢について、筆者がポイントを説明するたびに次々に質問が飛んでくる。眼差しは真剣そのものだ。高官は最後に、大統領と本日お会いいただけないのは残念であるが、面会の内容は必ず伝えておくと締めくくった。フィンランド政府首脳が、日本及びインド太平洋地域に対して、きわめて高い関心を有していることがよくわかった。

テーブルの上には、コーヒーと紅茶のポットがそれぞれ置かれ、どちらか飲みたい方を選べるようになっている。なかなかの心遣いである。日本ではあまり知られていないが、フィンランドはコーヒーの消費量が世界一である。

加えて茶菓子が盛られており、好きに取れるようになっていた。供されたのは、ファッツェル（Fazer）製のチョコレートだった。19世紀創業で、フィンランドを代表するお菓子メーカーである。国外からの訪問客に対して、さり気ない形での自国企業のアピールとなっていた。

大統領を元首とする共和国

政体という観点から見れば、フィンランドは大統領を元首とする共和国だ。これに対して、スウェーデン、デンマーク、ノルウェーという他の北欧諸国は、いずれも王室を戴く立憲君主制を採用している。他の北欧の国々の人々からは、北欧の中で、フィンランドは少し違うとの言がよく発せられていたが、政体も好対照をなしている。

ただし、フィンランドも立憲君主国となる可能性が実はあった。1917年のフィンランド独立に際して、新国家の政体をめぐって議論が交わされ、一時は君主制が支持された。国王の下で、内戦で生まれた分断を乗り越えようという考えからであった。

新しい国王の候補としては、ドイツ皇帝ヴィルヘルム2世の縁戚（義理の弟）にあたるヘッセン家のフリードリヒ・カールが挙げられ、君主を迎える準備が整えられていた。

この計画は、親独派によって、第一次世界大戦でのドイツの勝利を前提に考えられていた。しかし、第一次世界大戦はドイツの敗北という結果で、1918年に終結。ドイツ帝国は崩壊してヴァイマル共和国が成立した。これにより、フィンランドを王国とするプランも頓挫した。加えて、フィンランドがドイツ寄りであれば独立を認めないというイギリスとアメリカの意向も背景にはあった。

こうしてフィンランドの共和国としての礎が築かれたのだった。

大統領の権限の集中と縮小

日本では、当時世界最年少の34歳で首相になり、しかも、公務と育児を両立する女性リーダーとして、サンナ・マリン前首相が以前から注目され、また、2022年5月に来日したこともあり、よく知られているようだ。

だが、第1章で述べたように、NATOへの加盟については、ニーニスト大統領が重要な役割を果たした。ニーニスト大統領は、フィンランドを代表してNATO首脳会合に出席しているだけでなく、NATOの盟主であるアメリカとの関係でも、先頭に立っている。NATO加盟申請直後の2022年5月など、ウクライナ侵略以降の1年間で4度にわたり訪米し、バイデン大統領と会談した。アメリカ連邦議会との関係構築にも取り組んでいる。加えて、大きな焦点となったトルコとの関係でも、エルドアン大統領との協議に臨むなど、NATO加盟に向けて、積極的に外交を展開した。

ニーニスト大統領は、国民からの分厚い支持に支えられており、92％の支持率（2022年7月）を誇る。彼は国民連合党（NCP）の出身だ。保守系の同党は、反共産主義の色彩を帯びた政策を掲げていたため、ソ連からは警戒されていた。ちなみにマリン前首相は、左派のフィンランド社会民主党（SDP）出身である。

フィンランドの大統領は、伝統的には強大な権限を誇っていたが、これには歴史が関係している。1918年に起こったフィンランド内戦によって分断されてしまった国内をまとめるため、基本法によって大統領に権限を集中させた。議会での社会主義勢力の台頭に対して政府が危機感を抱いていたことも、権限集中の要因であった。任期は6年だが、再選に制限は設けられなかった。議会に対しては、可決された法律について拒否権を有していた。議会の選挙結果にかかわらず、首相の任命も可能であった。

初代大統領選には、内戦の英雄であり、摂政に就任していたマンネルヘイムが立候補した。だが、議会第一党だったフィンランド社会民主党によって右翼とみなされ、当選することができなかった。初代大統領に就任したストールベリは、元政治家だったが、辞任後はヘルシンキ大学の行政法教授を務めていた人物だった。マンネルヘイムは、第二次世界大戦時に第6代大統領として国を率いた。

戦後になり、冷戦期には巨大なソ連という存在を前にして、フィンランドをまとめるために強い大統領権限が必要とされた。この時期に、強大な大統領権限を巧みに利用したのが、第8代のケッコネン大統領だった。

ケッコネン大統領は、スターリンの死後、ソ連を率いたフルシチョフ書記長との間で「サウナ外交」を活用しつつ関係を築き、ソ連との関係を調整しようと図った。1962年と1975年には、ノーベル平和賞候補にもなっている。国内においても自ら首相を指名するなど、辣腕を振るった。他方で政敵からは、ソ連の回し者という批判を受けた。

強力な大統領権限がフィンランド社会に受け入れられた背景には、フィンランドの国民性も関係していたかもしれない。スウェーデンの国民性と比較してみると、スウェーデンでは上司が仕事仲間であるのに対して、フィンランドでは上司の権威が尊重される。物事を決定するプロセスも、スウェーデンではコンセンサスが重視されるのに対して、フィンランドでは上司が決定するという。

その後、ソ連の崩壊によって、強力な大統領権限の必要性が薄れると、権限は縮小されていくこととなった。当時の第9代コイヴィスト大統領は、自ら大統領権限を徐々に縮小させていった。

そして1999年の新憲法制定によって、大統領権限は法的に縮小された。現在では、フィンランド憲法第54条第1項において任期を制限する規定が設けられ、大統領は、「6年の任期で選挙される。同一人は、連続2回の任期まで選挙されることができる」とされている。

大統領の三選は不可なので、現在のニーニスト大統領の任期は2024年初頭までということになるが、NATO加盟というレガシーが、退任の花道を飾ることとなろう。

大統領は国防軍の最高指揮官

ＮＡＴＯへの加盟は、フィンランドの安全保障にとって極めて大きな意味を持つ。しかし、それに加えてＮＡＴＯへの加盟プロセスがフィンランド国内の権力構造にも影響を与えた可能性について、指摘しておきたい。

フィンランドの大統領権限は、近年縮小される傾向にあった。日本でも、フィンランドと言えばマリン首相にばかり焦点が当たっていた。

ところが、ＮＡＴＯへの加盟プロセスでは、ニーニスト大統領が重要な役割を果たした。第１章で述べたように、フィンランドによるＮＡＴＯへの加盟申請直後に、ニーニスト大統領は、スウェーデンを国賓訪問した。続けざまにスウェーデン首相とともにアメリカを訪問して、バイデン大統領と会談した。最も重要な協力相手であるアメリカ及びスウェーデンとの関係において、大統領こそが先頭に立った。加えて、加盟に難色を示していたトルコとの関係でも、大統領は重要な働きをした。

こうした大統領の動きには、フィンランド憲法の規定も関係している。フィンランド憲法は、第１２８条において国防軍の最高指揮権について、「共和国大統領は、フィンランド国防軍の最高指揮官とする」と規定している。

軍の最高指揮権は大統領に委ねられており、大統領は軍事安全保障において、絶大な権限を有している。こうした憲法の条文に基づきつつ、NATOへの加盟プロセスにおいては、大統領のリーダーシップが発揮された。

フィンランド憲法のこの条文は、日本にとっても大いに参考となる。フィンランド憲法は、軍事組織の存在を認めた上で、軍事に関連する条文を適切に配置しているが、これは世界的にみても標準的な構造といえよう。

軍隊の最高指揮権の所在について、世界の主要国の憲法においても、規定が設けられている。アメリカ合衆国憲法においては、第2章第2条第1項で、「大統領は、合衆国の陸海軍及び合衆国の軍務に実際に就くため召集された各州の民兵の最高司令官である」と規定している。フランスも第五共和政憲法第15条で、「大統領は、軍の長とする。大統領は、国防高等評議会及び国防高等委員会を主宰する」と規定しており、軍の長としての大統領に、最高指揮権を付与している。

軍事組織の適切な保有によって、国家の繁栄と国際社会の安定がもたらされているというのが、リアリズムに基づく世界観といえる。

しかし、日本国憲法は、軍事というリアルな現実から目をそむけており、その無責任な態度は厳しく批判されるべきだ。軍事組織の最高指揮官について、どの国家機関が担任するのかは、本来的には憲法で定めるべき事項であろう。日本国憲法を改正する際には、軍隊の最高指揮権の所在についても、フィンランド憲法を参考にしつつ、規定を設ける必要があるだろう。なお現時点では、自衛隊法第7条において、「内閣総理大臣は、内閣を代表して自衛隊の最高の指揮監督権限を有する」と規定されている。

一方で、行政権についてのフィンランド憲法の規定は、趣を異にしている。憲法第3条第2項において、「行政権は、共和国大統領及び内閣が行使」すると定められ、大統領と内閣が行政権を共同で行使することとなっている。

これを例えばアメリカと比べてみると、アメリカ合衆国憲法第2章第1条第1項においては、「執行権（executive power）は、アメリカ合衆国大統領に属す」と規定され、大統領個人に権限は帰属しており、両者の相違は明らかだ。内政におけるフィンランド大統領の権限は、アメリカと比較して限定的であり、いわゆる半大統領制が採用されている。

移民が大統領になる可能性を憲法で排除

フィンランド憲法の大統領に関する規定の中には、他にも日本にとって参考になる条文がある。第54条第1項では、「共和国大統領は、生来のフィンランド国民の中から（中略）選挙される」と明定されている。

アメリカ合衆国憲法においても、第2章第1条第5項「出生により合衆国市民である者、または、この憲法の成立時に合衆国市民である者でなければ、大統領の職に就くことはできない」との規定があり、同趣旨の条文が置かれている。

これらの条文によって、フィンランド、アメリカいずれの国家も、移民が大統領となる可能性を排除している。

アメリカにおいて有名な例が、アーノルド・シュワルツェネッガーだろう。オーストリア出身で、その後、アメリカに渡り、アメリカ国籍も取得した同氏は、２００３年から２０１１年まで7年あまりにわたって、カリフォルニア州知事を務めた。だが、合衆国憲法の規定により、大統領になることはできなかった。

翻って日本には、同趣旨の規定は、憲法にも法律にも存在していない。少なくとも総理大臣など政府首脳に関しては、就任する要件についてフィンランドやアメリカの憲法を参考にしつつ、生来の日本国民であるという規定を設ける必要があるだろう。

絶妙なタイミングになったマリン首相の訪日

大統領に対して、フィンランドの首相は、どのような役割を担っているのだろうか。フィンランド外交にとって最も身近なヨーロッパ問題については、基本的には首相によって担われている。欧州理事会への出席者が首相であるという点が、それを物語っているだろう。

フィンランドでは、２００３年に初めての女性首相が誕生し、サンナ・マリン首相が3人目だった。なお、女性の大統領としては、労働者階級出身で社会民主党のタルヤ・ハロネン氏（第11代）がいる。ハロネン氏は外相としても、チェチェン紛争解決に尽力した。

マリン首相は、２０２２年5月、日本を訪問した。筆者は、マリン首相の訪日に関して、岸田総理との首脳会談に同席したフィンランド政府高官と意見を交わす機会があった。その人物によれば、個人的な経験に照らしても、これまでのフィンランド首脳による訪日の中では、異例の注目度だったという。多くの注目を集めた背景には、マリン首相その人のキャラクターが挙げられるだろう。加えて、フィンランドによるＮＡＴＯへの加盟申請の直前というタイミングも、訪日への関心を高めた。

タイムリーな訪問となった背景には、これまで公にはなっていないが、偶然の要素も実はあったという。日本フィンランド外交筋によれば、マリン首相の訪日は元々、ロシアによるウクライナ侵攻開始よりも前のタイミングで調整されていたようだ。フィンランドでは、NATOへの加盟申請についてはすでに述べたように、大統領が中心となって対応した。つまり、NATOへの加盟申請について協議するために、マリン首相の訪日が実施されたわけではなかったということだ。

もし、計画通りのタイミングで、マリン首相が訪日していれば、経済問題が中心的なテーマとなり、あれほどの注目は集めなかっただろう。だが、日程上の都合で、結果的にではあるが、ウクライナ侵攻後、しかも、フィンランドによるNATOへの加盟申請直前という絶妙のタイミングで実施された。このタイミングを最大限に活かして、ウクライナ侵攻後の世界において、日本とフィンランドがいかに連帯していくかについて、外交的メッセージを効果的に発信できたといえるだろう。

元外交官として筆者が言えることは、外交においては、偶然の要素も時には味方に付けなければならないということだ。

マリン首相は首脳会談で、フィンランドと日本の二国間関係は、素晴らしい状態にあるという認識を示した。その上で、5G／6Gなどデジタル化における連携を一層促進したいと述べた。後で述べるように、この分野では、ノキアの存在が重要となってくるだろう。

加えて、両国間での人的交流を進めるため、ワーキングホリデー協定が署名された。

日本政府としては、岸田総理との首脳会談後に、ワーキングディナーをセットした。首脳会談が開催されるからといって、首脳間での食事の機会が必ずしも設けられるわけではない。日程上の都合も勘案されるが、一般的には、食事なしよりも食事あり、ワーキングランチよりもワーキングディナーの方が、より厚遇しているというサインになる。岸田総理とのワーキングディナーが用意されたことで、マリン首相への厚遇ぶりが目に見える形で示された。

マリン首相による日本訪問から間を置かずに、フィンランドからは外相が訪日した。ヘルシンキから日本を重視するというメッセージが発せられたと受け取る必要がある。

だが、2023年4月に行われた議会選挙で、自らが所属する社会民主党が第3党に転落したことを受けて、マリン首相は、党首辞任を表明するとともに、ニーニスト大統領に対して内閣総辞職を申し出た。

一方で、マリン首相は全国第2位の得票数となり、個人的な人気は健在であることも示された。ペッテリ・オルポ首相が就任するまで、マリン氏は暫定的に首相職にとどまり、ヘルシンキを訪れたウクライナのゼレンスキー大統領と会談するなど、職務を遂行した。

ロシアを仮想敵国として軍備を増強

１９７０年から１９８０年代にかけて、フィンランドの国防予算は6倍に膨れ上がり、空軍、海軍の刷新を中心に、国防力の整備が進められた。

冷戦後の軍縮の流れも、フィンランドには波及しなかった。国防費の対ＧＤＰ比は、ウクライナ全面侵攻前の２０２１年にすでに１・85％に達していた。ウクライナ侵攻後にはさらに、国防費を２０２３年からの４年間で約22億ドル増額すると決定した。

北欧の雄と目されるスウェーデンに比べてフィンランドは、人口もＧＤＰも約半分に過ぎない。だが、その国力に比して強大な軍事力を維持整備してきた。

これに対して、冷戦が終結してからのスウェーデンの国防政策は、国防費の削減、多くの基地の閉鎖など、フィンランドとは異なる側面を持っていた。ゴットランド島も非武装化された。軍隊の運用についても、冷戦期の総合防衛から、危機管理、国際的貢献へと位置付けを変えた。

象徴的だったのは、次項で述べるように、徴兵制に対するアプローチが、フィンランドとスウェーデンとの間で異なっていた点である。

なぜ、フィンランドとスウェーデンの間に、国防政策の違いが生じたのか。それはロシアをどのように見るのかという対露観に相違があったからだろう。ロシアとの間で1300キロを超える国境を接するフィンランドは、冷戦終結後もロシアの脅威に対して、より高い警戒を維持し続けていたということだ。

一方でスウェーデンは、フィンランド、ノルウェー、デンマークと国境を接しているが、ロシアとの間では、陸上国境を有していない。フィンランドが、いわば壁となって、スウェーデンとロシアを隔てるような形になっている。

フィンランドはもとより、自前の国防力の整備を着実に進めてきていた。ウクライナ全面侵攻によって急速に高まったロシアの脅威に対応するために、強力な国防力という土台の上に、NATOによる集団防衛をプラスアルファしようとしている。自国に危機が迫ってから、泥縄的にNATO、そしてアメリカを頼ろうとしたわけではなかったということだ。

まずは平素から、自国の国防力を高めておく。その基盤の上に、同盟の力を足し合わせていく。こうしたフィンランドの国防に対する考え方は、世界的に見ても極めてオーソドックスであり、日本としても参考とすべきである。

筆者はあるフィンランド政府高官に、フィンランドが怠りなく国防力の整備を図ってきたのは何のためだったのか、尋ねてみたことがある。その高官は、

「村上先生、その目的は明らかだと思います。我々が備えてきたのは、西側の隣国（スウェーデン）ではありません。それは、東側の隣国（ロシア）のためです」

と述べた。フィンランドは、西はスウェーデン、東はロシアと陸上で国境を接している。だが、この高官が述べるように、フィンランドに対して安全保障上の脅威を及ぼしているのは、東側の隣国のみである。

日本ではほとんど知られてこなかったが、フィンランドは、約1300キロの陸上国境で隣接するロシアを、仮想敵として想定して、長年にわたって軍事的な備えをしてきた。

フィンランド軍制服組トップのティモ・キヴィネン司令官は、何十年にもわたってロシアの攻撃に備えてきたと述べている。

フィンランド陸軍は、ヨーロッパ最強といわれる砲兵部隊を以前から擁しており、主力戦車としてはドイツ式レオパルト2を採用している。すでに述べたように、2023年2月には、同戦車を3両、ウクライナに供与すると発表した。空軍力の増強についても、フィンランドは積極的に取り組んでおり、F-35戦闘機の導入を決定している。

まさに、備えあれば患いなしを体現してきたのが、フィンランドなのである。フィンランドは、我々に対して、備えがいかに大切かを教えてくれている。

徴兵制で18歳以上の男子に兵役

ハード面の戦力を整えることは、もちろん重要である。すでに述べたようにフィンランドは、ハード面での国防力の整備を着実に進めてきている。だが、それだけでは戦争に勝つことはできない。

ウクライナの人々の勇姿は、国防への国民の参画が、戦時にあっていかに大切かを我々に教えてくれている。自分たちの国は、自分たちで守る。洋の東西を問わず、この点こそが国防の根幹である。日本人にとっても、決して他人事ではない。

軍事組織の構成員を確保する方法については、徴兵制と志願制に大別することができる。日本の自衛隊は、後者を採用している。

これに対してフィンランドでは、18歳以上の男子に兵役が課され、徴兵制が敷かれている。フィンランド憲法第127条第1項は、国防の義務について「全てのフィンランド国民は、法律で定めるところにより、祖国の防衛に参加し、又はこれを支援する義務を負う」

と規定している。兵役の期間は、２０１３年の法改正によって短縮されたものの、１６５日（5・5か月）、２５５日（8・5か月）、または３４７日（11・5か月）となっている。

フィンランドでは、フィンランド大公国時代の１８７８年に徴兵制が導入され、１９５０年に国家徴兵法が制定された。米ソ冷戦が終結した後も、フィンランドでは徴兵制が一貫して維持されてきた。最も大きな要因は、ロシアに対する軍事上の警戒心である。ロシアとの間に１３００キロを超える陸上国境が横たわるという事実は、冷戦が終わっても何ら変わりない。隣国であるスウェーデンが、２０１０年に徴兵制を一旦廃止したのとは対照的だ。なお、スウェーデンは２０１８年に徴兵制を復活させている。

フィンランド国防省によって、２０２２年５月に実施された世論調査によれば、フィンランドが攻撃された際に、祖国防衛に参加するとの回答は、実に82％に上った。直接的には、目下のウクライナ危機が関係しているが、それに加えて、第二次世界大戦中の冬戦争で、ソ連に侵略された苦い歴史が背景にはある。

国民の非常に高い国防意識は、民主主義国家の強靭性を示しており、権威主義体制との対峙が激化するにつれ、その重みは増していくだろう。さらには、フィンランドを侵略しようとする者の意志を怯ませる効果も期待される。

国民の高い国防意識に支えられることで、フィンランドの徴兵制は機能している。篠田研次元駐フィンランド大使がヘルシンキ在勤中に得た感触によれば、「フィンランドの人々は、人生の一定期間若い頃に兵役に服し、その後老いるまでの間も予備役として技量・知識が消えないよう何年か毎に訓練のために軍に戻ることを極々当然のこととして受け止めており、国民の徴兵制度に対する支持は揺るぎないものである」という。

世界の中で徴兵制を採用している国は、現在64か国ある。中立国として知られるスイス、オーストリアでも、徴兵制が維持されている。両国とも、徴兵制に基づく国防力を背景に、中立を維持している。スイスでは、民兵制によって軍が組織され、民間防衛についても憲法で規定されている。軍事同盟に加わっていない中立国では、自分たちで自国を守る重要性がさらに大きい。非武装中立とは、まったく正反対の現実が、そこにはある。

ヨーロッパでは、徴兵制をいったん廃止したものの、再び採用するという徴兵制復活の動きもみられる。リトアニアでは2015年に、フランスとスウェーデンでは2018年に復活した。2007年に志願制となったラトビアでも、徴兵制再導入に向けて、国防省が取り組みを開始している。

スウェーデンでは徴兵制復活にあたり、国防相がロシアに言及し、クリミア侵略やスウェーデン近傍での演習増加を挙げた。バルト三国での徴兵制復活の背景にも、ロシアへの警戒があるだろう。徴兵制が維持されているエストニアでは２０２３年に、徴兵期間の延長が決定した。

フランスでは１９９６年に、当時のシラク大統領によっていったん廃止されたが、マクロン大統領が大統領選挙で公約し、徴兵制を復活させた。マクロン大統領は、「国家連帯の礎石を固める」と述べ、社会的紐帯という観点から徴兵制を重視する姿勢を示した。

一方で、日本はどうだろうか。政府見解によれば、徴兵制は許容されないとされている。憲法上の根拠としては、意に反する苦役について定める第18条、幸福追求権について定める第13条が挙げられている。

だが、６年連続で幸福度世界一と日本人が賞賛し、憧れるフィンランドには、一貫して徴兵制が維持されてきたのである。では、フィンランド人は、苦役を強いられ、幸福を追求する権利を侵害されているとでも言うのか。筆者の学部時代の恩師である北岡伸一東京大学名誉教授は、「世界の多くの国で、兵役は国民の神聖な義務だということになっている。日本で苦役なら、外国でも苦役のはずである。徴兵が苦役であるとは、世界の常識とかけ離れたとんでもない解釈であって、日本の憲法学のガラパゴス性を示す顕著な例である」

と指摘している。日本人はこの現実をどう捉えるのだろうか。

徴兵制を採用するか、あるいは志願制を採用するかについては、それぞれの国が自由に選択しているという点が大切だ。判断基準としては、徴兵制復活に触れる中で述べたように、それぞれの国を取り巻く安全保障環境や置かれている社会情勢が挙げられる。フィンランド国防軍のウェブサイトでは、徴兵について、「フィンランドの選択」と明記されている。フィンランドの徴兵制は、他国による強制の結果では決してない。

徴兵制を維持するフィンランドから我々が学ぶべきは、国民自ら国家を守るべしという国防意識だ。ほとんどすべての国民が、基本的な銃の取り扱い方すら知らないというのが、日本の現状である。日本においても、徴兵制を直ちに導入するかどうかはさておき、タブー視することなく議論することが少なくとも必要だろう。

軍服を着た女性兵士が受け入れられる社会

さらに、フィンランドでは1995年から、女性に志願兵役が認められている。希望すれば女性も兵役に就くことができる。2022年には、過去最多となる1211人が参加した。ロシアによるウクライナ侵略以降、軍事訓練を受ける女性が増え、銃の使い方、キャンプの設営方法、応急処置の仕方などを学ぶ女性向けの講座では、順番待ちになっているという。

筆者は、フィンランドでの在外研究中に、軍服を着用した女性を日常風景の中で幾度となく見掛けた。女性兵士たちは、ヘルシンキに向かうフィンランド鉄道（VR）のインターシティ（特急列車）の車内で、ヘスバーガー（フィンランドのファストフード）を食べたり、ヘルシンキ市内の路上で、大きなリュックを担いだりしていた。ただし、周辺の人々が特別な反応を示すということはなかった。筆者が目にした光景からは、軍事を女性が担うということがフィンランド社会にごく自然に受け入れられていることがわかった。

フィンランド国防軍は自らをフィンランド社会の背骨と称しているが、その背骨は多くの女性によって支えられている。こうしたことは、これまで日本では注目されてこなかったが、社会と軍事の関わり方についても、フィンランドには見習うべき点がたくさんある。

女性を対象とする徴兵については、他の北欧諸国で実施する例がみられる。２０１５年にはノルウェーで、２０１８年にはスウェーデンで、女性の徴兵が開始された。他にはイスラエルでも女性を徴兵している。

マリン首相は、男女参加の機会均等を考慮すべきだと述べて、徴兵対象の女性への拡大を支持した。オランダの女性の国防相も、「女性と男性は平等の権利を有しているだけではなく、平等の責任も負っている」と述べた。これらは非常に重要な指摘である。権利だけでなく、義務も等しく分かち合うことこそが、真の平等をもたらすだろう。なお、2022年10月のフィンランドでの世論調査によれば、徴兵対象の女性への拡大について、反対が44%だが、賛成も35%に達している。

ちなみに、フィンランド憲法第127条第2項は、「信念に基づき軍事的な国防への参加の免除を受ける権利については、法律で定める」との条文を設けて、良心的兵役拒否について規定している。

総人口の約16%が予備役

加えてフィンランドは、大規模な予備役を擁していることも、軍事面での大きな特徴といえる。人口わずか約550万人のフィンランドが、戦時には28万人の兵力を30日以内に動員することが可能である。そして90万人という大規模な予備役を誇っている。

これに対して、人口が約1億2000万人の日本において、各国の予備役に相当する予備自衛官は、わずか5万人に過ぎない。

フィンランドの総人口に予備役が占める割合は約16%であるのに対して、日本の総人口に予備自衛官が占める割合は、わずかに0・04%である。

400対1という予備役の人口比から読み取れるのは、自ら国を守ろうというフィンランド人の非常に高い国防意識である。日本もフィンランドを見習って、国民一人ひとりが国防意識を高めつつ、予備自衛官制度の充実にも取り組む必要があるだろう。

こうした人口に比して巨大な規模の予備役は、歴史をひも解いてみると、フィンランドが第二次世界大戦の敗戦国となったことと大きく関係している。1947年のパリ講和条約によって、フィンランドには軍備制限が課されたが、大規模な予備役はその副産物だといえる。

フィンランド軍は1948年に、パーシキヴィ大統領に対して、条約が動員を禁じていないことを指摘し、動員システムの基礎を予備役に置くことを進言した。これによって、第二次世界大戦後のフィンランド軍の姿が、小さな常備軍、大きな動員軍という柱によって構成されることが固まった。

ウクライナ侵略において、プーチン大統領は2022年9月に、予備役を対象とした部分動員令を発令した。翌10月には、約30万人を招集したとしたが、国外脱出が急増するなど、ロシアの動員体制には綻びが見られた。それとの比較では、高い国防意識に支えられたフィンランドの予備役は、同国にとっての大きな強みであるといえよう。

ソ連にカレリア地方を奪われたまま

フィンランド憲法には、日本人にはあまり馴染みのない条文がある。第4条で「フィンランドの領域は、不可分とする。議会の同意を得ずに国境を変更することはできない」との規定を設けている。フィンランドは第二次世界大戦でソ連に侵略され、カレリア地方などの領土を奪われた。そうした苦い過去の歴史を踏まえての条文だろう。

領土の一体性について明定するこの条文は、日本にとって参考になる。日本国憲法には、自国の領土に関する規定はない。現在の日本の領土は、法的な観点からは、サンフランシスコ平和条約によって確定したといえる。ちなみに、現行憲法の制定によって憲法から領土条項が削られたわけではなく、大日本帝国憲法にも領土について定める条文はなかった。

今も日本は、ロシアとの間で北方領土問題、韓国との間で竹島問題という二つの領土問題を抱えている。北方領土と竹島は、それぞれ他国によって不法に占拠されている、すなわち日本の有効な支配が及んでいない。

加えて、日本固有の領土である尖閣諸島については、日本は有効に支配しており、そもそも解決すべき領土問題は存在しないというのが、日本政府の立場である。だが、中国などが領有権を主張しており、一方的な現状変更の試みが続いている。

近隣の諸外国が、日本の領土を脅かす状況が続いている中で、領土の一体性について強調し続けることは重要である。特にロシアの侵略によってウクライナの領土の一体性が毀損されている中で、その重要性はますます高まっている。

ソ連によって奪われたカレリア地方をめぐる状況も、日本にとって参考になる点がある。日本の北方領土問題との共通点は、ロシアあるいはソ連によって奪われた領土であるという点だ。

フィンランド現地で筆者が感じたのは、北方領土問題に対する認知度の高さだ。筆者が意見交換を重ねた政府関係者や専門家は、北方領土問題の存在はもちろん、その背景についても、非常によく理解していた。

加えて、ウクライナのゼレンスキー大統領は、北方領土は日本の領土であるとの立場を表明している。日露間の最大の懸案である北方領土問題は、フィンランドやウクライナといったロシアの周辺国にとっても重大な関心事だといえよう。

後に明らかになったことだが、1991年には当時のエリツィン大統領が、フィンランドのコイヴィスト大統領に対して、150億米ドルでのカレリア売却を打診していたという。

ただし、コイヴィスト元大統領は、売却の打診があったこと自体を否定している。真実がいずれであったにせよ、ソ連崩壊期のロシアは、どんな形であっても、資金を必要としていたということだ。国家の衰退あるいは崩壊は、隣国が領土を奪還するという点では、またとないチャンスだといえよう。ウクライナ侵略によってロシアが急速に衰退すれば、北方領土を奪還する可能性が高まることも考えられる。

ただし、北方領土問題との根本的な違いは、フィンランド側は、1947年のパリ講和条約にしたがって、カレリア地方に対する領有権を主張していないということだ。

フィンランド国内では、カレリア地方の返還を求める声が一部にあるものの、フィンランド政府の公式な立場とはなっていない。加えて、カレリア地方にはロシア人が、現に生活をしている。万が一、返還が実現したとしても、それらの人々をどのように処遇するかについて、懸念が存在するとフィンランド政府関係者は述べていた。

その政府関係者は、筆者に対して、北方領土に居住するロシア人の人口を尋ねた。北方領土に住むロシア人の人口は、２０２０年時点で1万８３６５人である。北方領土返還後のロシア人住民の処遇についても、あらかじめ考えておく必要があるだろう。

防衛首脳による相互訪問

日本とフィンランドの間では近年、防衛首脳による相互訪問が、頻繁に実施されている。これは、両国の安全保障協力が着実に深化していることを示している。

２０１８年5月には、小野寺五典防衛大臣がフィンランドを訪問し、大統領公邸においてニーニスト大統領を表敬した。その後、ユッシ・ニーニスト国防相と会談し、ロシア情勢などについて意見が交わされた。この訪問から短期間に、10月には河野克俊統合幕僚長がフィンランドを訪問し、２０１９年2月にはニーニスト国防相が日本を訪問した。

統合幕僚長によるフィンランド公式訪問は、２０００年7月以来、18年ぶりであった。河野統合幕僚長はロシア訪問後にフィンランドを訪れ、ニーニスト大統領とニーニスト国防相を表敬したほか、ヤルモ・リンドベリ国防軍司令官と会談した。加えて、フィンランド海軍部隊やフィンランド海軍アカデミーを訪問した。

２０１９年2月の訪日では、ニーニスト国防相は岩屋毅防衛大臣と会談し、日フィンランド防衛協力・交流に関する覚書への署名が行われた。フィンランドにとって、同種の覚書への署名は10か国目であるが、アジア国家との間では初めてであった。

翻って日本にとってフィンランドは、普遍的価値を共有する戦略的パートナーであり、防衛協力を進展させることは自然の流れといえよう。

2020年8月には、河野太郎防衛大臣とカイッコネン国防相が、日フィンランド防衛相テレビ会談を実施した。「自由で開かれたインド太平洋（FOIP）」の維持、強化に向けて、防衛協力、交流を強力に推進していくことで一致した。新型コロナウイルス感染症のパンデミックの最中にもかかわらず会談が実施されたことからは、防衛協力進展のモメンタムを維持しようという両国の意志が見て取れる。

パンデミックの鎮静化に伴って、防衛首脳による訪問が再び活性化した。2022年9月には、フィンランド軍制服組トップであるティモ・キヴィネン国防軍司令官（陸軍大将）が、山崎幸二統合幕僚長の招待により日本を公式訪問した。キヴィネン司令官はウクライナ侵略について、ロシアの戦略的なミスであるという認識を示し、結果としてフィンランドがNATOに加盟することになったと語った。

10月には、カイッコネン国防相が訪日して浜田靖一防衛大臣と会談し、ロシアのウクライナ侵略などによって国際社会が厳しい安全保障環境に直面する今こそ、日本やフィンランドをはじめとする国際社会の結束が重要であることを確認した。軍制服組トップと国防相が立て続けに同じ国を訪問するのは異例であり、フィンランドの積極姿勢が際立つ形となった。

なお、訪日後にカイッコネン国防相は、育児休暇を取得すると表明した。マリン内閣の男性閣僚としては、初めての取得例となった。

2023年5月には、小野田紀美防衛大臣政務官がフィンランドを訪問、カイッコネン国防相、プルッキネン国防次官と会談した。また、ハイブリッド脅威に対抗するため、専門知識とトレーニングを提供することを目的に設立された欧州ハイブリッド脅威対策センター（Hybrid CoE）や、フィンランドの代表的な防衛産業であるパトリア社を訪問している。パトリア社は、航空宇宙、安全保障分野に強みを持つ老舗メーカーで2021年に創立100周年を迎えた。株式については、フィンランド政府が50・1％、ノルウェーの大手防衛企業が49・9％をそれぞれ保有している。

75年ぶりに在日大使館に国防武官着任

このように、近年、日本とフィンランドの防衛関係は急速に深化しているが、こうした流れを受けて、２０２０年に東京のフィンランド大使館に国防武官が着任した。日本に専任の武官が着任するのは、なんと75年ぶりのことだった。

フィンランド国防軍から派遣されたのが、陸軍所属のキンモ・タルヴァイネン大佐であった。タルヴァイネン大佐とは、筆者も個人的な親交がある。筆者との会話の中で、大佐は日露戦争の英雄である東郷平八郎元帥に対して度々敬意を表するなど、日本に対して強い関心を持ってくれている。フィンランド軍は素晴らしい人物を日本に派遣してくれたというのが、筆者の率直な感想である。

タルヴァイネン大佐が日本文化についても興味があるということで、筆者が茶道を稽古していると伝えると、以前からぜひ一度は体験してみたかったという話が、会食中に飛び出したことがあった。

そこで筆者から、自分自身の師匠である町田宗隆先生（裏千家業躰(ぎょうてい)）にお願いをし、京都花園でお茶を一服召し上がってもらった。町田先生は、フィンランド渡航時に現地で求めた道具で、茶室をしつらえてくださった。和の空間に、フィンランドのテイストが添えられ、客人を迎える準備が整った。タルヴァイネン大佐は、編笠のような道具についてカレリア地方のものではないだろうかという見立てを披露するなど、町田先生のしつらえをきっかけにして、話にどんどん花が咲いた。

フィンランドの軍人は、日本有数の茶人からフィンランドに対して示された敬愛の念をしっかりと受け止め、お互いの心が通い合った。日本のもてなしの心は、世界に通用するものであり、日本人が誇るべきものであることを改めて感じさせられた茶席だった。

一方で、日本からフィンランドへの派遣は、どうなっているのだろうか。ヘルシンキに日本の陸軍武官が初めて派遣されたのは、１９３４年４月だった。海軍武官ではなく陸軍武官がまず派遣されたのは、フィンランドがソ連と陸上で国境を接していることを念頭に置いてのことだっただろう。

第一次世界大戦後には、ポーランド、ハンガリー、ラトビア、ルーマニア、そしてフィンランドといった国々に、まるでソ連を取り囲むかのように、駐在武官が配置されていった。仮想敵国であるソ連の周辺国において、情報収集にあたらせることが目的だった。派遣に際しては、情報収集という目的にかんがみ、語学能力も重視された。

フィンランドに派遣された海軍武官については、１９４１年まではロシア語修習者、それ以降はドイツ語修習者が派遣されている。ただしフィンランド人は、ドイツ語には応じるが、ロシア語は理解できても使わなかったという。フィンランドにおけるソ連への冷たい視線を物語るエピソードといえよう。

現在では、在フィンランド日本国大使館に、防衛駐在官が配置されている。筆者の在外研究中は、陸上自衛隊から、鈴木2等陸佐が派遣されており、筆者もフィンランドで多くのことを教えてもらった。

北欧諸国への派遣状況を比較してみると、スウェーデンには1等陸佐が1名派遣されているが、ノルウェーとデンマークには実員は配置されていない。日本としては、北欧諸国との防衛関係では、スウェーデンそしてフィンランドとの関係を重視しているということだ。NATOへの加盟を申請する前から、両国に防衛駐在官が派遣されていたのは、ロシアを念頭に置いてのことにほかならない。

なお、フィンランドの防衛駐在官は、エストニアも兼轄しており、駐エストニア大使の国防軍司令官への表敬に同席するなどしている。

日本との防衛交流と防衛協力

現場での交流としては、2018年8月には、練習艦「かしま」と護衛艦「まきなみ」が、ヘルシンキ港カタヤノッカ埠頭に寄港した。海上自衛隊練習艦隊による遠洋練習航海の一環であり、同港に立ち寄るのは5年ぶりであった。イギリスのポーツマスへの寄港までの間に、フィンランド海軍との間で、親善訓練（PASSEX）が実施された。

加えて、マンネルヘイム元帥の墓への献花を通じて、フィンランドの英雄に敬意が表された。ヘルシンキのヒエタニエミ無名戦士墓地の奥に、マンネルヘイムは眠っている。そして彼を取り囲むように、祖国のために一命を捧げたかつての部下たちの墓石が並んでいる。

ヘルシンキ市中心部のエスプラナーデ公園では、練習艦隊音楽隊による演奏が披露され、フィンランドの一般市民との交流が図られた。太鼓や空手といった日本文化も紹介された。三等海尉に任官して間もない初級幹部にとっては、慣海性を涵養する世界一周の船路の合間で、国際交流を図る貴重なタイミングとなっただろう。

相互理解を図る防衛交流に加えて、より実質的な意味合いを持つ防衛協力の進展も図られている。フィンランドは汎用品・汎用技術の分野で強みを有しており、防衛装備についての協力は自然な流れといえよう。

防衛省は、陸上自衛隊が導入する次期装輪装甲車（人員輸送型）に、ＡＭＶを選定したと２０２２年12月に発表した。選定されたＡＭＶは、"Armored Modular Vehicle"（装甲モジュラー車輛）の略称であり、96式装輪装甲車の後継車両である。

フィンランドの総合防衛企業パトリア社製であるが、国内防衛生産、技術基盤への裨益にかんがみ、日本企業受注によるライセンス生産が追求されることとなっている。パトリア社はこれまで、技術移転に積極的な姿勢を示している。日本で製造されたＡＭＶの海外移転という可能性も、一部では取り沙汰されている。

防衛省は、装輪装甲車の開発に際して、防御力を重視していた。だが、96式装輪装甲車の開発中止を受けて、次期装輪装甲車の導入計画がスタートした。競合相手は、三菱重工業によって試作された機動装甲車だったが、基本性能と経費の観点から、ＡＭＶに軍配が上がった。航空新聞社の報道によれば、基本性能の評価の違いは、防御力と乗員の生存性についての評価の差によって生じたのではないかと推測されるという。

ＡＭＶはその高い防御性から、「緑の悪魔（Green Devil）」とも呼ばれている。これまでにアフガニスタンなどで実戦投入されているが、対戦車火器や地雷による攻撃にもかかわらず、軽微な損害で任務を継続し、イスラム原理主義武装勢力から、「緑の悪魔」と恐れられたという。

用途としては、戦闘部隊や戦闘支援部隊などに装備し、敵の脅威下における戦場機動、人員輸送などに使用するとともに、国際平和協力活動における車列警護などが想定されている。

ＡＭＶの導入を受けて、２０２２年12月には藤村和広駐フィンランド大使が、２０２３年５月には小野田紀美防衛大臣政務官が、相次いで同社を訪問している。

同社は２０２１年にパトリア・ジャパンを設立し、日本及びアジア市場への進出の足掛かりを築こうとしているが、陸上自衛隊から契約を受注し、早速結果を出した格好となった。

陸上自衛隊は、次期装輪装甲車を航空自衛隊のＣ－２輸送機で空輸することも想定している。より核心的な用途としては、島嶼防衛が挙げられる。南西諸島での有事においてＡＭＶが活用されれば、フィンランドの防衛技術によって日本の領土が防衛されたということになるかもしれない。

優秀な外交官を駐日大使として派遣

現任のタンヤ・ヤースケライネン（Tanja Jääskeläinen）駐日フィンランド大使は、2022年9月に来日、12月に天皇陛下に皇居で信任状を捧呈し、駐日大使としての活動を正式に開始した。

ヤースケライネン大使は、ロンドン、ダマスカス、ブダペストで勤務した経験豊富な外交官だ。東京への赴任直前には首都ヘルシンキで、外務省政務局副局長を務め、フィンランドのNATO加盟申請に、キーパーソンとして携わっていた。

アジアに詳しい地域の専門家ではなく、現在のフィンランド外交の最重要テーマで中心的な役割を果たしていた人物が、駐日大使に充てられたことになる。この人事からは、フィンランド側が安全保障という文脈で日本との関係を重視していることがわかる。

筆者は、ヤースケライネン大使と頻繁に面会し、両国を取り巻く情勢について、率直な形で意見交換した。大使と筆者の共通点は、フィンランドのとある街にある。大使の出身地であり、筆者が2022年夏に在外研究を実施したタンペレである。

タンペレ大学の卒業生でもある大使は、周辺にも、冗談交じりのトーンではあるが、彼（筆者）はタンペレを知っているから素晴らしいと話している。地縁が人と人とを取り持つのは、日本もフィンランドも同じである。タンペレが結ぶ絆に感謝している。

フィンランドはこれまでも、外務省内で優秀な外交官を駐日大使として派遣してきている。ユッカ・シウコサーリ（Jukka Siukosaari）氏は、2018年5月まで駐日大使を務めたが、離任後にはヘルシンキに戻り、大統領府事務総長に就任した。同年1月に再選されたニーニスト大統領によって、大統領の右腕に登用された。2021年4月には駐英大使に任命され、フィンランド外交の最前線に復帰している。

ヤースケライネン大使（左）と著者。フィンランド国防軍国旗の日レセプションにて［著者撮影］

こうした有力外交官が東京に派遣されていたということから、フィンランドの日本重視を読み取ることができる。

将来的に、フィンランドの駐日大使を務めるのではと目されているのが、ユハ・ニエミ（Juha Niemi）氏だ。現在はフィンランド外務省の米州アジア局で、副局長を務めている。

ニエミ氏は、ヘルシンキ大学で修士号を取得しているだけでなく、日本政府の奨学金を得て1997年から1999年にかけて東京大学に留学しており、日本語も堪能だ。2004年から2009年までは経済担当書記官として、2016年からは公使参事官として、東京の大使館で2度にわたり勤務している。

日本通の外交官が、フィンランドのアジア政策を総括補佐するポジションに就いていることは、日本にとっても好ましい状況といえよう。菜々夫人とともに、いずれ大使として日本に赴任することが期待される。「サウナよりもお風呂が好き」という大使が誕生すれば、日本での注目も高まるだろう。

筆者は、フィンランド外務省内の一室でニエミ氏と面会したが、ここでも大統領官邸と同じくコーヒーや茶菓子が供された。外務省の建物は一般公開されていないが、内部には北欧インテリアが配されており、外国からの訪問者にとっては、フィンランドデザインを楽しめる空間にもなっていた。

ニエミ氏は、英語も堪能であるだけでなく、歴史にも精通しており、有能な外交官だとの印象を受けた。フィンランドのような中小国では、外交当局には、限られた人員しか配分されていないのが通例だ。限りある人的リソースを割いて、将来的に大使を担えるような日本専門家を育てていることは、フィンランドが日本との関係を重視している証左といえよう。

北欧諸国も含んだ「自由と繁栄の弧」構想

２０２２年７月８日、安倍晋三元総理が選挙遊説中に奈良市西大寺で暗殺された。そして9月27日には、故安倍晋三国葬儀が日本武道館で執り行われた。フィンランドからはハーヴィスト外相が訪日し、ヤースケライネン駐日大使とともに、国葬儀に参列した。現役の外交トップの参列は、フィンランドによる日本重視の証といえる。

筆者も国葬儀に参列したが、あてがわれた二階席から眺めると、一階席の様子が手に取るようにわかった。階下には、ハリス米副大統領、モディ・インド首相、アルバニージー・オーストラリア首相をはじめ、多くの現職首脳をヘッドとする各国の弔問団が、陣取っていた。開式までの時間帯は、各国の要人による人の輪が、あちらこちらにでき、いわゆる弔問外交が日本武道館の一階を舞台にして活発に展開された。

安倍元総理と個人的に親しかったモディ首相らが、一国のトップとして超多忙であるにもかかわらず、スケジュールをやりくりして参列したことは、故人にとって何よりの供養となったことだろう。

筆者がフィンランドでの在外研究をスタートさせたのは、安倍晋三元総理の暗殺から半月後のことだった。そうしたタイミングから、各国政府の元首脳らと安倍元総理について、話す機会が何度もあった。

フィンランドのユルキ・カタイネン元首相とは、約1時間の面会の中で、安倍元総理についても話すことができた。カタイネン氏は、英紙フィナンシャル・タイムズによって、ヨーロッパで最も有能な財務相と評され、首相離任後には、欧州委員会副委員長を務めた人物だ。同氏はフィンランドのトップエリートながら、物腰は柔らかとの印象を筆者は受けた。直接会談したことがある安倍元総理については、先見性があり、大局観を持ったリーダーだという印象をシェアしてくれた。

現役のフィンランド政府高官は、安倍元総理との首脳会談に同席したことがあるとした上で、極めて戦略的な指導者であったとの感想を話してくれた。

エストニアのロイヴァス元首相との立ち話では、お互いに首相として会談したことがある安倍元総理の暗殺に対して、弔意が示された。ロイヴァス元首相からは、現在携わっている電気自動車のベンチャー企業の名刺が手渡された。

ヨーロッパ滞在中に面会したアジアのある国の大使は、安倍元総理の外交・安全保障政策に対して、明確な支持を打ち出した。中国が急速に台頭する中で、日本が外交安保政策を「正常化（先方発言のママ）」することは、当然だと述べた。こうした日本の方向性は、中国とのパワーバランスを回復させることで地域の安定をもたらし、ひいては自国の国益にも資するとの認識を示してくれた。

安倍元総理を悼んでくれたのは、各国の要人だけではなかった。ヘルシンキ市内でタクシーに乗車した際には、女性運転手から、「日本からですか」と声を掛けられ、ショックだったとして、哀悼の意を伝えてくれた。

ところで、安倍元総理がインド太平洋という戦略的なフレームワークを打ち出す以前にも、日本外交においては、世界全体を視野に入れた構想が打ち出されたことがあった。

麻生太郎外務大臣は２００６年11月に、「『自由と繁栄の弧』をつくる―拡がる日本外交の地平」と題して、政策スピーチを行った。その中で麻生外相は、「自由と繁栄の弧」についていて、普遍的価値を基礎とする豊かで安定した地域であると述べ、価値をベースにして外交を展開する価値観外交を打ち出したのだった。この点においては、自由で開かれたインド太平洋との共通点がある。

「自由と繁栄の弧」の地理的範囲についても注目に値する。北欧諸国からはじまって、バルト諸国、中・東欧、中央アジア・コーカサス、中東、インド亜大陸、さらに東南アジアを通って、北東アジアにつながる地域に、「自由と繁栄の弧」を形成していくとされた。

本書のテーマとの関係では、北欧諸国が含まれていることが目を引く。日本外交の戦略の全体像の中に、フィンランドという国が位置付けを与えられたということだ。

そもそもこれらの地域は、ユーラシア大陸を横断しているのだが、よくよく見てみると、二つの国を取り囲むように連なっている。中国とロシアだ。この外交構想に隠された狙いは、中国とロシアという二つの権威主義国家を取り囲むように、連携を強化することにあったのだろう。

しかし、残念ながら、「自由と繁栄の弧」という構想は、大きく花開くことはなかった。麻生氏が外務大臣を務めた第一次安倍政権が、短命に終わってしまったことも原因だろう。

ただ、そこに込められた狙いは、現在でも色褪せていないといえる。本書で強調しているように、フィンランドをはじめとする北欧諸国、そして東ヨーロッパの国々との連携は、ロシアによるウクライナ侵略以降、ますます重要となっている。時代を先取りしたビジョンだったとも言えるかもしれない。

北極圏をめぐる協力

近年、北極への注目度が、資源や新航路の可能性といった点から高まっている。例えば、日本からヨーロッパに向かう際に、アジア・ヨーロッパ間の北極海航路を利用すれば、マラッカ海峡からスエズ運河を経由する南回りの航路に比べて、距離行程を約3～4割も短縮することができる。

米トランプ政権期には、ポンペオ国務長官がフィンランド訪問中の2019年5月に、北極政策について演説した。すべての関係者が同一のルールに従うべきだと述べた上で、中国及びロシアの北極圏進出に対して警戒感を表明した。

ソ連との継続戦争で、フィンランドは北東部のペツァモを奪われて、北極海への出口を失ってしまった。これは地政学的な拠点の喪失と見ることができる。したがって、ロシア領あるいはノルウェー領を経由しなければ、北極海航路に連結することはできない。

加えて、ソ連に奪われたペツァモはニッケルが豊富であり、資源という観点からも痛手であった。ニッケルは近年では、経済安全保障の観点から注目を集めている。

北極海への出口を失ったフィンランドではあるが、北極圏においては依然として領土を有している。北極圏について現在、メインプラットフォームとなっている北極評議会（AC）において、フィンランドはメンバー国としての役割を果たしている。フィンランド国立のラップランド大学には、北極センターが設置され、北極圏についての研究が進められている。

北極評議会は軍事・安全保障事項は扱わないこととなっている。しかし、ロシアによるウクライナ全面侵攻を受けて、ロシア以外のメンバー7か国は、ロシア議長国下での北極評議会の会合への不参加を表明した。なお日本は、2013年にオブザーバー資格を取得した。日本とフィンランドの間では、北極についての協力も加速させていくべきだろう。

中国への警戒感

日本において中国の対外進出について論じる際には、インド太平洋やアフリカ、中央アジアなどが主に取り上げられている。だが、中国の進出は、これらの地域にとどまるものではない。中国の対外進出の全体像を捉えるためには、その他の地域での中国の動向についても注意を払う必要がある。

例えば、フィンランド及びその周辺での中国の動向については、日本での紹介はこれまでほとんどなかったと言ってよく、ここで詳しく述べることとしたい。

中華人民共和国は１９４９年10月に成立したが、フィンランドは１９５０年１月という比較的早い段階で、国家承認した。中国側は、この点を度々強調し、フィンランドとの関係に特別感を持たせようとしている。なお、日本による中華人民共和国の承認は、１９７２年９月であった。

ちなみに、フィンランドは台湾を国家承認していない。そのため、両者の間に正式な国交は存在していない。ただし、台湾はヘルシンキに駐フィンランド代表処を設置しており、事実上の大使館としての機能を果たしている。現在は台湾外交部（外務省）から、張秀禎（ちょうしゅうてい）代表が事実上の大使として派遣されている。フィンランド側も、台北に事務所を開設しており、一定の存在感が示されている。

筆者は張代表と会食する機会があったが、国交がないという制約の中でも、代表処が積極的に活動している様子が伝わってきた。

中国に話を戻すと、２０１７年４月には、習近平国家主席が国賓としてフィンランドを訪問した。中国の国家元首が同国を訪問するのは、実に22年ぶりであった。

習氏は、国家副主席在任中の2010年3月にもフィンランドを訪問していたが、国家主席に就任してから北欧で最初に訪問した国がフィンランドとなった。同行した彭麗媛(ほうれいえん)夫人は、シベリウス博物館を訪問した。この国賓訪問は、習主席がフロリダ州でのトランプ大統領との米中首脳会談に臨む途上で実施された。

2017年7月にはバルト海で、中国海軍がロシア海軍との合同軍事演習を実施した。中露両国の海軍による合同演習は、2012年以来実施されているが、バルト海が舞台となったのはこれが初めてだった。中国から遥か遠いバルト海に、中国艦船が現れたことは、注目に値する。

中国海軍からは、ミサイル駆逐艦「合肥」(ルーヤンⅢ級)に加えて、フリゲート「塩城」(ジャンカイⅡ級)、補給艦「駱馬湖」の計3隻が参加した。

3隻はまず、ロシア領でバルト海に面するカリーニングラード州バルチースクに寄港し、演習後にはサンクトペテルブルクに投錨した。加えて、ヘルシンキにも寄港して一般公開の機会を設けるなど、バルト海沿岸国であるフィンランドへの接近も図られた。

ただし、中国側からの共同演習の要請をフィンランドは拒否しており、中国に対する一定の警戒感も示された。

なお、２０１５年には、地中海と黒海で中露海軍の合同演習が実施され、２０１７年８月には、中国国外では初となる海軍基地の運用が、ジブチで開始されている。バルト海での中国海軍の動きも、こうした外洋海軍化の一環として捉えることができるだろう。

また、フィンランド北部のケミヤルヴィ空港が、中国極地研究センターによって、購入もしくは借用されようとしていた。同センターは、中国政府で資源問題を所管する自然資源部に直属する組織だ。この提案があったのは２０１８年１月だったが、明るみになったのは２０２０年になってからだった。

提案から発覚までにタイムラグがあったのは、同空港の立ち位置が、極めて機微に触れるものだったからだろう。というのも、北部のラップランドに位置する同空港は、フィンランド軍のロヴァヤルヴィ射撃場に隣接しているのである。他国の重要インフラを中国が獲得しようとする動きは、今や世界中で問題となっているが、フィンランドでも軍事施設に隣接する空港に対して中国が関心を示したということだ。

ケミヤルヴィ空港については、ロシアのコラ半島からの近さも注目に値する。コラ半島、そしてその沖合のバレンツ海は、ロシアにとって軍事上の要衝といえよう。

そこから約４００キロのケミヤルヴィ空港に、中国が手を伸ばそうとしたのは、ロシアを念頭に置いてのことかもしれない。中国とロシアの連携が密になる中でも、中国がロシアに対する一定の警戒心を失っていないことを示唆している。ケミヤルヴィ空港に着目したのは、フィンランドに対して中国が、ロシアの隣国としての価値を見出しているということだろう。加えて中国が、北極圏での動きを活発化させているという文脈（詳細は拙稿『米中対立の新たな論点としての北極』東京財団政策研究所を参照）でも捉えることができる。

さらに、フィンランドでも、大規模なインフラプロジェクトに対して、中国が関心を示していた。北極海に面するノルウェーのキルケネスから鉄道を敷設し、南北にフィンランドを縦断するという構想だ。先に述べたように、ソ連に領土を奪われたことで、フィンランドは北極海に面していない。この北極回廊という計画は、フィンランドにとっては、北極海航路と自国の物流網を連結させるという意味があった。

加えて、ヘルシンキとエストニアの首都タリンとの間では、海底トンネルを建設する計画がある。もし完成すれば、青函トンネルや英仏海峡トンネルを抜いて、世界一の長さとなるが、ここにも中国企業の影がちらついた。ただし、現在のところ、いずれのプロジェクトも、大きな進展は見られない。

フィンランドにとっての最大の仮想敵は、もちろんロシアである。だが、中国に対するフィンランドの視線も、とりわけ国防コミュニティにおいて変化しつつあるというのが、フィンランド現地で抱いた筆者の実感だ。

この項で紹介したように中国は、フィンランドあるいは北欧、北極圏において、軍事演習を実施したり、重要インフラに関心を示したりした。これらの動きは、特にフィンランド側の安全保障関係者の間で、一定の警戒を呼び起こした。

こうした警戒感を加速させたのが、新型コロナウイルス感染症のパンデミック、そしてロシアのウクライナ全面侵攻であった。ロシアとの間で、ウクライナ侵略以降も連携を継続深化させている中国に対しては、ごく単純化して言ってしまえば、「仮想敵のパートナー」という見方がフィンランドで強まりつつある。

従来からのロシアに加えて、中国への警戒感が見られるようになる中で、フィンランドの外交安全保障コミュニティでは、日本との連携に対する関心が高まりつつある。フィンランド側が筆者を招聘した背景には、フィンランドにおける脅威認識の変化もあった。

さらには、インド太平洋情勢への関心も強まりつつあるというのが、筆者の実感である。例えば、筆者の在外研究中には、アメリカのペロシ下院議長が台湾を訪問し、大きな注目を集めた。訪台前後のタイミングで面会したフィンランド政府高官は、筆者に対して、ペロシ訪台について立て続けに質問し、強い関心を示した。インド太平洋情勢に対する日本からの見方について、フィンランド側に適宜適切に共有することも、今後ますます重要となる。

日本が学ぶべき国防に対する真摯な姿勢

強力な国防力という基盤の上にＮＡＴＯ加盟を組み合わせる。このベストミックスこそが、ロシアを抑止するためにウクライナ侵略後のフィンランドが用意した解である。我々がフィンランドから本当に学ぶべきなのは、国防に対する真摯な姿勢ではないだろうか。

日本では、一部の人々が戦後長らく、非武装中立を理想として、平和主義を称していた。そうした人々にとって、フィンランドは中立の見本のように思えたかもしれない。

だが、現実のフィンランドは、本書で詳しく見てきたように、非武装とは正反対の存在であり、国防に極めて熱心に取り組んできた。そしてＮＡＴＯへの加盟申請以前から、中立でもなくなっていた。

世界の安全保障環境は、激変している。日本は、幻想から一刻も早く目覚めて、空想的平和主義を捨て去らなければならない。その際に参考となるのが、フィンランドの方向性なのである。

第4章　フィンランド滞在記・雑感

タンペレ大学での在外研究

日本では、フィンランドの教育に注目が集まっているが、ここでは筆者の体験をもとに、フィンランドの高等教育機関としての大学を取り上げたい。

タンペレ大学で印象的だったのは、国際的なネットワークの形成に非常に注力している点だろう。日フィンランド外交筋からも、フィンランドは研究体制やネットワークに定評があるとの声が聞かれた。

筆者の在外研究は、自分自身にとっては新型コロナウイルス感染症のパンデミックによって妨げられていた海外での研究活動を再び始める意味合いがあった。翻ってフィンランド側にとっては、筆者を招聘することによって、国際的ネットワークをアジアにおいて

タンペレ大学［著者撮影］

も強化しようとの意図があったのだろう。

筆者の受け入れについては、政治学科のトップであるパミ・アアルト（Pami Aalto）教授が担当してくれた。アアルト教授は、国際関係を専門としており、中でもエネルギー政策に造詣が深い。これまでに、日本に加えて、イギリス、ノルウェー、デンマーク、エストニア、ロシアで在外研究を実施しており、海外経験も豊富だ。日本ではこれまでに、一橋大学や北海道大学で在外研究に取り組んでいる。

２０２２年９月には、タンペレ大学で国際会議が開催された。メインスピーカーとして招聘されたのは、マーク・ライアル・グラント卿だった。グラント卿は、イギリスの元トップ外交官であり、パキスタン駐在の高等弁務官（コモンウェルス諸国間での大使職）や国連大使を務め、現在はロンドン大学キングスカレッジの客員教授を務めている。

会議前日の夜には、アアルト教授に誘われて、ごく少人数でのインフォーマルな夕食会に出席することができた。タンペレスタジアムやタンペレ劇場など市内中心部を望む多国籍料理レストランが会場だったが、アラカルトには牛肉のたたきなど和食も含まれていた。メニューでの表記は、ずばりそのまま「tataki」であり、世界での和食の人気ぶりを改めて感じた。筆者がロンドン大学LSEに、アアルト教授がブラッドフォード大学にと、それぞれイギリス留学していたこともあり、話は弾んでいった。

主賓であるグラント卿の最後の公職は、外交担当の首相補佐官であり、デービット・キャメロン、テリーザ・メイというずれも保守党の首相を支えた。歴代政権の中枢で、イギリス外交の舵取りを担っていた人物だっただけに、その戦略眼は傾聴に値するものだった。

夕食会翌日のカンファレンスで、グラント卿はロシアによるウクライナ侵略を非難した。言及はそれにとどまらず、中国にも及んだ。中国についての認識は、筆者が前日の夕食会で卿に対して披露したものと、軌を一にしていた。

ロシアによるウクライナ侵略以降、フィンランドの安全保障に対してイギリスが担っている役割は、第1章で述べたように極めて大きい。カンファレンスが開催された段階では、NATOに対して加盟申請中だったこともあり、フィンランド側としては、イギリス政府の中枢で安全保障政策に携わっていた元高官のグラント卿を招聘し、意思疎通を図ったのだろう。

在外研究でタイミングよくタンペレに居合わせた筆者としては、安全保障に関連して、フィンランドと欧州主要国との間で交わされるハイレベルなやり取りに、直接触れる貴重な機会となった。これこそフィンランドお得意のネットワーキングのなせるわざだったといえよう。

なお、グラント卿は筆者に対して、自身が首相補佐官在任中の日本におけるカウンターパートは、谷内正太郎（やちしょうたろう）国家安全保障局長だったと回想していた。

国家安全保障会議とそれを支える国家安全保障局は、安倍晋三政権によって設立された。総理大臣のリーダーシップの下で、外交・安全保障政策の司令塔機能を担うことが目指されていた。同時に、それまではあいまいだった各国の安全保障担当補佐官のカウンターパートについて明確にすることも狙いだった。主要国政府の元高官の発言によって、安倍政権下での改革の所期の目的が達成されていることが裏付けられた。

タンペレ会議

タンペレには、世界唯一のムーミン美術館がある。その美術館の入っているタンペレホールで2022年8月に開催された国際会議が、タンペレ会議である。

国際会議では、参加者同士で交流を深めるのが常である。特にこのタンペレ会議のように、招待を受けた人物のみが参加しているクローズドの会議では、相手の身元に対して心配する必要もなく、会話により一層花が咲きやすい。

フィンランドの閣僚として出席していたスキンナリ開発協力・外国貿易相からは、フィンランド政府内きっての日本通の高官を後に紹介された。スキンナリ氏自身が、1990年代に東京で、日本の民間企業（丸紅）に勤務した経験を有する。日本をよく知る人物が、外国政府、特に友好国政府の閣僚を務めていることは、日本にとっては良い話だ。

タンペレ会議が開催される直前に、フィンランド政府の現役の高官と知己を得た。ニーニスト大統領から、右腕として見込まれているヒスキ・ハウッカラ（Hiski Haukkala）大統領府長官である。ハウッカラ氏が大統領府長官を務めるのは現在で2度目であり、それだけ大統領の信頼を勝ち得ているということだろう。だが長官の本職は、国際関係の研究者であり、2度目の大統領府入りまでは、タンペレ大学で教授を務めていたのである。ハウッカラ長官は自身の専門性を活かしつつ、フィンランドによるNATOへの加盟においても、重要な役割を果たした。加えて、政府の高官人事という点から考えても、興味深い。大統領府長官は、日本で言えば官房長官に相当するだろう。

日本では、アメリカのように専門家が政府の外から政府入りして、政府中枢の職を担うケースは、極めて少ない。ハウッカラ長官の例からは、フィンランドではアメリカ型の高官人事が機能しているといえるだろう。なお、ハウッカラ長官のアメリカでのカウンターパートは、ジェイク・サリバン大統領補佐官（国家安全保障担当）であり、両者の電話会談も開催されている。

そのハウッカラ長官から筆者は、タンペレ会議への参加を直接要請されたのだった。筆者のキャリアや専門性に対して、関心を寄せてくれたことがきっかけだった。筆者と長官の間には、研究と政策実務の両方を経験しているという共通点があったことで、相互理解は急ピッチで進んでいった。

タンペレでの住まい

筆者がタンペレに滞在している間は、タンペレ大学が提供する宿舎に住まわせてもらった。マンションの一室をタンペレ大学が確保するという形になっており、筆者のようなフィンランド国外からの研究者の滞在のために提供されている。海外研究者をいつでもスムーズに招聘できるように実施体制が整えられていた。フィンランドの大学は、国際的な研究連携に対して、非常に前向きであると感じられた。日本の大学や研究機関も見習うべき点だろう。

部屋は、住環境としても非常に快適であった。洗濯機と乾燥機も備え付けられていたので、洗濯にも困らなかった。キッチンには調理器具や食器が用意されており、自炊も可能な環境だった。窓から見える夏の太陽は、夜の11時頃まで沈むことがなく、自分が北欧にいるということに改めて気付かされた。

宿舎の立地も、素晴らしいものだった。タンペレ大学までは徒歩で約10分と非常に近く、散歩かたがた歩いて行っていた。タンペレ駅までも徒歩数分なので、政府関係者らと会うためにヘルシンキに出掛けるのにも便利であった。

大学までの道すがらには、トラム（路面電車）が走っている。ヨーロッパでは地球環境への影響などの観点から、トラムが復活しつつある。ＮＨＫでは臨場感あふれる『８Ｋヨーロッパ　トラムの旅』が８Ｋの高精細映像で放送されている。タンペレのトラムは２０２１年に新たに開通したばかりだが、いずれ放送されるかもしれない。

フィンランド式サウナ体験

タンペレは、フィンランドでヘルシンキに次ぐ第二の規模の都市圏を誇っている。フィンランドで最初に工業が発展した街でもある。紡績業が盛んだったことから、「フィンランドのマンチェスター」とも言われる。日本で言えば、「東洋のマンチェスター」と称された大阪といったところだろうか。

しかし、両者の大きな違いは、自然との距離感だろう。タンペレ市内からは、足を延ばせばすぐに自然に触れることができる。

筆者は滞在先の宿舎から、タンペレの北にあるナシャルヴィ湖に出掛けた。途中バスに乗りつつ、わずか20分で水をたたえる湖畔にたどり着いた。北に向かった目的は、ラウハニエミという地にあるサウナに入るためだった。

筆者がフィンランドでサウナを体験するのは初めてだった。湖のほとりにサウナがあるというのがフィンランド式だ。筆者は夕方に訪れたが、駐車場には多くの車両が停まっていた。受付で支払いを済ませ、脱衣場で水着に着替えれば、準備は完了である。

サウナは2か所あったが、公共サウナというスタイルもあってか、老若男女問わず、幅広い人々が楽しんでいた。大きい方のサウナには、一度に20人くらいは入室していただろうか。

訪問した2022年夏は、日本ではまだ新型コロナウイルス対策が叫ばれていた時期だった。フィンランドのサウナ室は、日本で言うところの〝密〟であったが、誰も気にする様子はなく、それぞれが思い思いのスタイルで汗を流していた。

ここまでなら、日本の温泉や銭湯でサウナに入るのと、それほど大きな違いはないかもしれない。

だが、ここからが、サウナの本場フィンランドならではの流儀である。大小のサウナ室ではそれぞれ、ロウリュを楽しむことができた。誰がということも、特には決まっていない。石の近くに陣取る人が、気が向いたときに水をかけると、ジューッという音とともに、蒸気が立ち昇る。

サウナで汗をかいて、シャワーで洗い流して、「はい、それで終わり」ではない。サウ

ナシヤルヴィ湖のほとりにある公共のサウナ（左の建物）[著者撮影]

ナ室で汗をかいてから、サウナの目の前に広がるナシヤルヴィ湖に入り、冷水に自らの身体をひたす。そしてまたサウナ室に戻る。このサイクルを繰り返すのがフィンランド流である。

ただしこれは、ストイックな作業などでは決してない。このサイクルの合間に多くの人は、サウナ室横のテーブルや長椅子でゆっくりしたり、一緒に来ている仲間とおしゃべりしたり、あるいはアルコールを口にしたりして、日の沈む湖を眺めていた。ソーセージもその場で焼かれていた。サウナ室と湖との間を何往復しなければならないといったことも、特段決まっているわけではない。自然な形で、心ゆくまでサウナを楽しむのが、フィンランドスタイルだという。

サウナの造りはとても素朴だったが、雄大な自然と一体化し、そこに流れるゆったりとした時間は何よりの贅沢だった。国内第二の都市の中心部からすぐのところに、こんなリラックスした空間がある。それがフィンランドという国だ。

なお、首都ヘルシンキでは、最盛期には122もの公共サウナがあったというが、現在では数件ほどしかない。

タンペレ大学のアアルト教授は、サウナに対するフィンランド人の考えについても、教えてくれた。サウナ室での発汗、湖への入水というこの流れは、夏場に限ったものではないという。なんと冬場にも、フィンランド人はこのサイクルを楽しんでいるというのだ。日本人にとっては、にわかには信じがたい話ではある。だが、フィンランドの人々は、厳しい冬の間も夏と同じように、サウナ室と湖を往復しているという。そしてアアルト教授は、冬場のこのサイクルも、心臓に良いという話を付け加えた。さすがは大学教授。医学的な見地からのエビデンスを示した上で、この会話を締めてくれた。

フィンランドでは、温かいサウナは出産場所としての役割も果たしてきた。ちなみに第8代大統領だったウルホ・ケッコネンは、サウナで誕生し、後に大統領としては「サウナ外交」を展開した。

タンペレにあるムーミン美術館［著者撮影］

ムーミンとレーニン

ところでタンペレには、世界でも珍しいミュージアムが2つもある。ムーミン美術館とレーニン博物館だ。日本で人気のキャラクターとロシアの革命家のミュージアムが同じ街にあるという点に、タンペレという街のユニークさが表れている。

ムーミン美術館は、滞在先の宿舎とタンペレ大学の間に所在し、道なりに訪れることができた。ムーミン美術館では、ムーミンの世界観が立体模型などを使って巧みに表現されている。筆者は日本語での館内説明も目にしたが、これは日本におけるムーミンの高い知名度と人気を裏付けている。

余談だが、東京のフィンランド大使館では、大使をはじめ館員たちが、ムーミンをあしらった名刺を用いており、筆者にとっても名刺交換の際のひそかな楽しみとなっている。ムーミンがいわばフィンランドの親善大使の役割を果たしているといえよう。

筆者がムーミン美術館で注目したのは、トーベ・ヤンソンの書棚だった。ムーミンの作者であるヤンソンが愛読していた書籍を紹介するコーナーが美術館にあり、筆者はある書籍の前で足を止めた。展示されていたのは、*Tale of Genji* すなわち『源氏物語』である。ムーミン谷の物語に、紫式部の描いた世界観が影響を及ぼしていたかもしれないと知り、日本人としては嬉しい気持ちになった。なお、ヤンソンはスウェーデン系フィンランド人であることから、ムーミンはスウェーデン語で書かれている。

では、レーニン博物館はなぜタンペレにあるのだろうか。実は、レーニンが1905年にスターリンと初めて面会したのが、このタンペレだった。フィンランドは当時、ロシア帝国の一部である大公国だった。現在はレーニン博物館となっている労働者会館の3階で、レーニンとスターリンの両者は対面したという。

1918年に起こったフィンランド内戦では、工業都市タンペレは当初、赤衛隊によって押さえられた。だが、内戦の転換点となるタンペレでの決戦で赤衛隊は敗れ、総崩れとなった。

　伝統的にタンペレは、左派の強い都市であり、しばしば「赤い街」と称されている。そうした点が、旧ソ連諸国の外ではめずらしいレーニン博物館の存在につながっているのだろう。

スマホで敗れるも5G時代に復活したノキア

　フィンランドは、人口が約５５０万人であり、日本でいえば北海道と同じ程度の規模である。したがって、内需が小さく、外需に依存している。１９８０年代には、経済成長の速さから、バブル期の日本に擬して「北欧の日本」とも称された。

　フィンランド経済は、この30年間で大きな落ち込みを3度にわたって経験している。ソ連崩壊、世界金融危機、新型コロナウイルスによって、マイナス成長に陥った。

　フィンランド経済を語る上で、ノキアに触れないわけにはいかないだろう。ノキアの創業は19世紀にさかのぼる。製紙会社として出発したノキアを世界的に有名にしたのは、携帯電話であろう。ヘルシンキなど都市圏以外では、森に点在して人々が暮らすフィンランドにおいては、携帯電話の普及は早かった。世界においても、携帯電話の生産台数でナンバーワンとなった。

1989年10月にソ連のゴルバチョフ元大統領が国賓としてフィンランドを訪問した際には、ノキアの携帯電話を使用して、モスクワにいる外相と通話する姿が報じられた。この携帯電話は後に、「ゴルバ」という愛称で呼ばれた。筆者も10年あまり前、外務省で勤務していた頃に、中国の北京でノキア製の携帯電話を使用していた。

2000年には、ノキア一社だけで、国内総生産の4%、輸出の21%、ヘルシンキ証券取引所の時価総額の70%を占めるまでに至った。

しかし、スマートフォンが登場すると、ノキアは市場の新たな波に乗り遅れて業績が悪化した。携帯部門は、アメリカのマイクロソフト社に売却された。いわゆるノキア・ショックだ。当時のストゥブ首相は、「iPhoneがノキアを殺し、iPadが製紙産業を殺した」と述べた。

だが、ノキアは通信、そして5Gによって復活を遂げた。2020年には、5G基地局の世界のマーケットシェアで、ファーウェイ(華為)、エリクソンに次いで第3位となっている。

米中対立において、通信分野が重要となっている。日本やアメリカにとって、ファーウェイなどの中国企業に、5G、そして6Gの覇権を握らせないためには、ノキアとの協力は、今後重要になっていくものと思われる。

ノキアは、2022年には東京の六本木に、ローカル5Gラボを開設している。通信技術の研究開発では、オウル大学が重要となっており、ノキアなども協力して、5Gの社会適用と6Gの開発のための研究が進められている。オウルはスタートアップ企業を生み出す街として、北欧のシリコンバレーと称されている。

森の国フィンランド

フィンランドの国土面積は、日本よりも一回り小さく、約33万8000平方キロメートルである。そのうち66・2%が森林によって占められている。ちなみに日本の森林の対国土面積比は66・0%である。

スウェーデンの統治時代から、林業資源は「緑の黄金」と呼ばれ、外貨を獲得する上で主要な手段であった。輸出に占める森林産業の比率は、1960年代には7割だった。近年では2割に減少しているが、現在でも主要な産業の一つである。

フィンランドには、森林を除けば天然資源が乏しい。同じ北欧でも、ノルウェーは石油、天然ガス、スウェーデンは鉄鉱石という資源に恵まれているのとは対照的である。

フィンランドでは、将来を見据えた取り組みも進められている。紙の需要減少を見越して、バイオ産業や石油代替用製品などに移行しつつある。加えて、フィンランド政府は木造建築プログラムを定めて、木造建築を推進している。

木が重要なのは、経済分野においてだけではない。建築あるいは文化の面でも、木はフィンランドにおいて、重要な役割を果たしている。フィンランドでは近世に入ると、それまでの石造ではなく、木造の教会が一般的となった。フィンランドの美しい森と湖の景色に溶け込むように、多くの木造教会が残されている。

ロシア依存回避のため原子力発電を推進

日本人は、フィンランドと言えばクリーンエネルギーといったイメージを持っているかもしれない。たしかに、フィンランド政府は２０２２年10月に、風力発電、太陽光発電関連など６つのクリーンエネルギー・プロジェクトに対して総額１億ユーロの投資支援を発表した。

だが、本当に注目すべきなのは、原子力分野でのフィンランドの取り組みであろう。フィンランドでは、原子力発電が推進されている。発電量から見たフィンランドの電力供給構成は、2020年には原子力が33・8％とトップを占めた。次いで、水力が23・0％、石炭が7・5％、天然ガスが5・8％、石油が0・3％であった。

なお、スウェーデンにおける原子力発電のシェアは、30・0％とフィンランド同様に大きい。ウクライナ危機後にノルウェーは、ロシアに代わって、ヨーロッパ最大のガス供給国となっている。

ウクライナ侵略の前から、フィンランドは、ロシア依存の回避に取り組んでいた。2015年と2020年で、ロシアからの天然ガスの輸入量を比較すると、フィンランドでは減少している。ロシアに対して強い警戒感を抱くバルト三国のエストニア、ラトビア、リトアニアでも、同じ期間に輸入量が減少した。これに対して、ドイツ、イタリア、ハンガリーなどでは、輸入量が増加した。ロシアからのエネルギー輸入量の増減には、各国のロシアに対するスタンスも、ある程度は影響しているだろう。

エネルギー輸入について世論の動向を見てみると、大きな影響を与えているのは、やはりロシア・ファクターである。電力輸入元としては、北欧諸国とエストニアに対しては69％が肯定的である一方で、ロシアに対しては87％が否定的な態度を示している。

原子力発電に対しても、フィンランド世論は肯定的な反応を示している。2022年12月に、フィンランドのシンクタンクEVAによって実施された世論調査によれば、67%が原子力発電所の追加建設が最良の解決策だと回答した。これに対して、原発廃止への反対は87%にのぼっている。原発増設に対する支持は、3年半で25%も増加している。深刻なエネルギー危機に対しては、再生可能エネルギーの増産だけでは対応できないという考えが、背景にはあるだろう。また、エネルギー安全保障の観点から見れば、ロシアへのエネルギー依存の回避という点が、原子力推進の動機といえよう。フィンランド世論は、極めて現実的な反応を示しているといえる。

フィンランドと日本には、エネルギー資源がともに乏しいという共通点がある。国家の根幹にかかわるエネルギー問題については、感情論は必要ないどころか、かえって有害である。フィンランドのエネルギー政策と世論の冷静な判断は、日本にとっても大いに参考になるところだ。

原発の新設

現在では、フィンランド国内で、合計5基の原発が稼働している。

そもそもフィンランドにおける原子力発電所の建設は、１９７０年代に始まったが、そこにも当時の冷戦という国際情勢が、大きく影を落としていた。南西部にあるオルキルオト島は、スウェーデンの対岸に位置し、スウェーデンで開発された沸騰水型原子炉（ＢＷＲ）が導入された。これ対して南部の街ロヴィーサでは、ロシア型原子炉（ＶＶＥＲ）が建設された。原子力政策においても、東西間でのバランスが図られた。

ロシアによるウクライナ侵略は、フィンランド国内における原子力発電所の建設計画にも影響を与えた。フィンランド中西部ピュハヨキのハンヒキビ原発では、ロシア製の1号機の建設が、フェンノボイマ社（フィンランド66%、ロシア34%）によって計画されていた。だが、建設許可の申請は２０２２年5月に取り下げられた。フィンランドは原子力政策についても、ウクライナ侵略を契機として、ロシアへの配慮を捨てて、西側を選択した。

ヨーロッパ最大級の出力を誇るオルキルオト原子力発電所3号機が、２０２３年4月に本格稼働を開始した。産業界の共同出資により設立されたテオリスーデン・ヴォイマ（ＴＶＯ）社が建設にあたり、欧州加圧水型原子炉（ＥＰＲ）が採用された。原発の新設は、フィンランドでは同原発2号機以来で約40年ぶりだった。ヨーロッパ全体で見ても、原発新設は約16年ぶりであった。

加えてロヴィーサ原子力発電所では、1号機と2号機が稼働している。同原発の運転期間については2023年2月に、フィンランド政府によって延長が承認された。2050年まで延長となり、70年間を超えて運転されることとなった。

ヨーロッパ各国でも、原子力発電について復活の動きが見られる。スウェーデンも原子力発電所新設へと方針を転換した。ベルギーでは、2025年とされていた原発停止が、ウクライナ危機を受けて10年延長された。一方で、ドイツは2023年4月に、最後の原発3基を停止し、脱原発に至った。

日本でも2023年5月の法改正によって、60年を超える原発の運転が可能となっているが、筆者は、日本としてはドイツよりもフィンランドを参考として、エネルギー政策を組み立てるべきだと考える。現に岸田政権も、原発再稼働、そして原発新設へと舵を切っており、ヨーロッパで言えば、ドイツよりもフィンランドに近い方針を採用しつつある。

原子力分野においても脱ロシアが進められる中で、フィンランドが協力を進めようとしている国が、アメリカである。2023年4月には、フィンランドとアメリカとの間で、原子力協力を強化するための覚書が署名された。NATOへの加盟という軍事分野だけでなく、原子力という中核的な技術分野でも、フィンランドは、アメリカとの協力深化という道を選択している。

日本とフィンランドの原子力協力も進められている。エネルギー企業フォータムと東京電力の間で、原子力分野についての情報交換協定が結ばれている。

世界一進んでいる核廃棄物最終処分場の建設

核廃棄物管理、使用済み核燃料の最終処分において、フィンランドは世界でも先端的である。

最終処分場の建設について、プロセスの進行を国際的に比較してみると、処分場の建設にまで着手している国は、フィンランドのみである。最終処分場の用地の決定まで終えている国としては、スウェーデンとフランスを挙げることができる。

アメリカも処分場の用地について、ユッカマウンテンに決定している。ただし、政権交代によって方針が一定せず、許認可手続きは中断している。共和党政権は推進しているが、民主党政権は後ろ向きであり、バイデン政権は中間貯蔵を進めていくものと見られている。

イギリス、カナダ、そして日本は、処分場の用地の決定にも至っていないのが現状だ。

フィンランドの核廃棄物最終処分場（オンカロ）は、オルキルオト原子力発電所に併設して建設されている。オンカロとは、フィンランド語で空洞を意味している。地下400〜450ｍの岩盤地層において、使用済燃料など6500トンを埋設する計画で、ポシバ社が建設にあたっている。2016年から建設が進められており、2021年には操業許可が申請された。早ければ2024年下半期には運用が開始される計画となっている。高レベル放射性廃棄物処理施設としては、世界初となる予定だ。10万年にわたる保管が想定されている。2013年には、小泉純一郎元総理が視察した。

処分場建設に至るプロセスに関して、日本はフィンランドを参考にして、一刻も早く前に進めていく必要があるだろう。

おわりに

原稿を推敲しながら気付いたのは、「日本にとっても参考になるだろう」という書きぶりが至るところに表れているということだ。フィンランドという国家の生きざまは、日本にとっても多くの示唆に富んでいる。これこそが、本書を書き始めた大きな動機である。

筆者が特に力を入れたのが、日本でこれまで知られていなかった、あるいはこれまで紹介されてこなかったフィンランドの姿だ。

「はじめに」でも述べたように、これまでフィンランドと言えば、日本では福祉や教育について参考にすべしとの見方が大半であった。フィンランドの福祉や教育については、これまでに新書を含めた多くの書籍が出版されている。

だが、２０２２年夏にフィンランドで在外研究を実施して発見したのは、フィンランドの違う姿であり、別の顔であった。福祉や教育といったソフトな面にばかり注目が集まっていたが、国防、安全保障、歴史、エネルギー政策といったハードな面にこそ、我々日本人が学ぶべきヒントが多くあることに気付いたのだった。筆者の非力によって、残念ながらすべてを伝えられたわけではないが、一人でも多くの方に、フィンランドの新しい一面が届いたならば、そしてそれが、日本の未来を切り拓く糧となるならば、幸いである。

筆者が所属する皇學館大学には、タンペレ大学での在外研究にあたって、助力をいただいた。教職員各位に篤く御礼を申し上げる。本書をもって研究報告に代えたい。

古巣の外務省、そして在フィンランド大使館関係者にもお世話になった。藤村和広駐フィンランド大使、山本条太元駐フィンランド大使（現駐オマーン大使）をはじめとして、鈴木防衛駐在官、小川智弘一等書記官らには、多くのことを教えていただいた。

フィンランドとのご縁の出発点は、山本一樹氏だった。フィンランド・ジャパン貿易代表取締役と日本フィンランド協会理事を務める同氏には、フィンランド側の信頼も厚い。

本書の編集を担当してくださった育鵬社の山下徹副編集長にも感謝したい。筆者の産経新聞「Ｔｈｅ考」欄（担当は菅原慎太郎特任編集長）への寄稿をきっかけに、本書の企画は始まった。筆者の怠惰さのせいで、なかなか執筆が進まない中で、原稿を根気強く待ってくださり、参考となる資料もご送付くださった。

最後に、いつも物心両面で支えてくれている家族（父建夫、母順子）に感謝して、筆を擱きたい。

令和5年8月

村上政俊

［初出一覧］

- 「米中対立の新たな論点としての北極」東京財団政策研究所、２０１９年
- 「『中立国』という理想の終焉――フィンランド『ＮＡＴＯ加盟申請』の衝撃――」産経新聞、２０２２年
- 「歴史に根差すウクライナとの連帯――フィンランドの大学に招かれて」季刊アラブ第１８１号、２０２２年
- 「ＮＡＴＯ加盟にみる危機意識――歴史に学ぶフィンランドの人々」日本第72巻第12号、２０２２年
- 「北極圏で中国の動き活発に」季刊アラブ第１８２号、２０２３年

［主要参考文献］

- Angela Stent, "The Putin Doctrine," Foreign Affairs, January 2022.
- Finnish Government, "Report on Finland's Accession to the North Atlantic Treaty Organization," May 2022.
- Jyri Lavikainen, Matti Pesu, and Iro Särkkä, "NATO nuclear deterrence and its implications for Finland," Finnish Institute of International Affairs, March 2023.
- North Atlantic Treaty Organization, "Relations with Finland," April 2023.

［主要参考文献］

●明石元二郎「落花流水（明石元二郎大将遺稿）」
●石垣泰司「戦後の欧州情勢の展開とフィンランドの中立政策の変遷」外務省調査月報2000年度第2号
●石野裕子『物語　フィンランドの歴史　北欧先進国「バルト海の乙女」の800年』中公新書、2017年
●石野裕子「第4章　フィンランド――歴史から見たフィンランド政治と対ロシア政策のゆくえ――」津田由美子・吉武信彦編『北欧・南欧・ベネルクス』ミネルヴァ書房、2011年
●石濱裕美子「マンネルヘイムのアジア旅行関連資料とそれに基づくチベット仏教徒の動向について」内陸アジア史研究第31号、2016年
●稲葉千晴『明石工作――謀略の日露戦争』丸善ライブラリー、1995年
●岩間陽子、君塚直隆、細谷雄一編著『ハンドブック　ヨーロッパ外交史――ウェストファリアからブレグジットまで』ミネルヴァ書房、2022年
●エヴァ・ルトコフスカ「日露戦争が20世紀前半の日波関係に与えたインパクトについて」戦争史研究国際フォーラム報告書、2005年
●小野祖教『神道の基礎知識と基礎問題』神社新報社、1963年
●外務省欧州局政策課「北大西洋条約機構（NATO）について」2023年
●外務省情報部「日本国との平和条約草案の解説」1951年
●北岡伸一『世界地図を読み直す――協力と均衡の地政学――』新潮社、2019年

●経済産業省資源エネルギー庁発行「諸外国における高レベル放射性廃棄物の処分について（2023年版）」
●航空新聞社
●国立国会図書館調査及び立法考査局「各国憲法集（9）フィンランド憲法」2015年
●在フィンランド日本国大使館経済班「フィンランド経済の概要」2022年
●齋木伸生『フィンランド軍入門――極北の戦場を制した叙事詩（カレワラ）の勇者たち』イカロス出版、2007年
●篠田研次「ロシアによるウクライナ侵略とフィンランド」霞関会、2022年
●庄司潤一郎「知られざる日本・フィンランド軍事関係史――75年ぶりの武官着任――」防衛研究所、2020年
●白石仁章『杉原千畝――情報に賭けた外交官――』新潮社、2015年
●髙木道子「ソ連の解体とフィンランド外交」札幌大学女子短期大学部紀要69号、2021年
●武田龍夫『物語　北欧の歴史――モデル国家の生成』中公新書、1993年
●立川京一「我が国の戦前の駐在武官制度」防衛研究所紀要第17巻第1号、2014年
●田中亮佑「欧州防衛における英海軍の役割」防衛研究所NIDSコメンタリー第205号、2022年
●長島純「フィンランドとスウェーデンのNATO加盟に見る軍事同盟の進化」笹川平和財団、2022年
●広瀬佳一編『NATO（北大西洋条約機構）を知るための71章』明石書店、2023年
●防衛研究所「ウクライナ座談会第20弾――スウェーデン・フィンランドのNATO加盟、NATOにおける

［主要参考文献］

トルコ――」2022年
●防衛白書
●保坂三四郎「バルト地域の安全保障：変貌を遂げつつある『NATOのアキレス腱』」安全保障・外交政策研究会、2023年
●村井誠人編『スウェーデンを知るための60章』明石書店、2009年
●百瀬宏、石野裕子編『フィンランドを知るための44章』明石書店、2008年
●百瀬宏、熊野聰、村井誠人編『北欧史 下 ――デンマーク・ノルウェー・スウェーデン・フィンランド・アイスランド――』山川出版、2022年
●森元誠二「スウェーデンのNATO加盟に思うこと」霞関会、2022年
●矢野恒太記念会編『世界国勢図会 2022/23』矢野恒太記念会、2022年
●山本条太「関西から見えるフィンランド【スカンジナビアの国々】」霞関会、2020年
●山本直『オルバンのハンガリー ヨーロッパ価値共同体との相剋』法律文化社、2023年

村上政俊（むらかみ まさとし）
皇學館大学准教授。1983年生まれ。東京大学法学部卒業後、外務省入省。北京、ロンドンでの大使館外交官補等を経て退官。衆議院議員、中央大学大学院客員教授等を経て、現職。中曽根平和研究所客員研究員も務める。共著に『トランプ政権の分析』（日本評論社）等。専門は国際政治、安全保障、米中関係。2022年夏に、フィンランド国立タンペレ大学で在外研究。

扶桑社新書475

フィンランドの覚悟

発行日 2023年9月1日　初版第1刷発行

著　　者………村上 政俊
発 行 者………小池 英彦
発 行 所………株式会社 育鵬社
〒105-0023 東京都港区芝浦1-1-1 浜松町ビルディング
電話03-6368-8899（編集） https://www.ikuhosha.co.jp/
株式会社 扶桑社
〒105-8070 東京都港区芝浦1-1-1 浜松町ビルディング
電話 03-6368-8891（郵便室）
発　　売………株式会社 扶桑社
〒105-8070 東京都港区芝浦1-1-1 浜松町ビルディング
（電話番号は同上）
印刷・製本………中央精版印刷株式会社

Printed in Japan　ISBN 978-4-594-09426-3
本書のご感想を育鵬社宛てにお手紙、Eメールでお寄せ下さい。
Eメールアドレス　info@ikuhosha.co.jp